思考する芸術

Alain Badiou

Petit manuel d'inesthétique

思考する芸術

非美学への手引き

アラン・バディウ

坂口周輔 訳

水声社

思考する芸術　◉目次◉

凡例

一、原文のイタリック体は傍点で示した。ただし第10章で引用されているマラルメの詩に関しては教科書体を用いた。
一、原文中の大文字で始まる単語は〈 〉で示した。
一、注意を要する訳語については、原語を〔 〕のなかで併記するか、訳語にルビを振った。本文中［ ］で括られている箇所はバディウ自身による補足である。
一、注はすべて訳注である。引用されている文献については参照されたと思われる文献を、邦訳がある場合にはその該当頁も示した。ただし、訳者の挙げた文献がバディウが実際に参照したものとは限らない。
一、引用箇所については、第9章のベケットの文章を除いて、すべて拙訳による（邦訳がある場合はそれを参考にさせていただいた）。便宜上、掲示した邦訳文献のタイトルは既訳のままにした。

「非美学」という言葉で私が意味するのは、哲学と芸術とのある関係である。それは、芸術それ自体が諸真理の生産者であると提起するのであって、哲学のために芸術を一つの対象にしようとは少しも望んでいない。美学的思弁に抗して、非美学が記述するのは、いくつかの芸術作品の自律した実存によって生み出される厳密に哲学内的な諸効果である。

一九九八年四月　A・B

第1章　芸術と哲学

変動や振動という症状を常に抱えているつながりがある。

原初の時代に、詩、演劇、音楽を追放せよという判断がプラトンによって下された。そのことに関してとにかく言わなければならないのは、この哲学の創始者、もちろん自分の時代のあらゆる芸術に関して洗練された知識人でもあったこの人は、『国家』において軍隊音楽と愛国的な歌しか引きとどめておこうとしなかったということである。

もう一方の端に見出されるのは、芸術に対する敬虔な信心、技術のニヒリズムとして思考された概念が、そのことを悔い改め、それ自体困窮状態にある潜在的な〈開かれ〉に対して唯一世界を与えることのできる詩的言語を前にして跪く姿だ。

だがいずれにせよ、ソフィストであるプロタゴラスはすでに、教育の要としてある芸術学習を指し示した。プロタゴラスと詩人のシモニデスとのあいだには協力関係があったが、プラトンによるソクラテスは彼らの理屈の裏をかこうとし、彼らの思考の強度を自分自身の目的へ従属させようとする。

一つのイメージを私は思い浮かべる。意味の類似的原型である。つまり、哲学と芸術は歴史的に対になっているのであり、ラカンの言う〈主人〉と〈ヒステリー症者〉のようなものである。ヒステリー症者が主人に向かって次のように言いに来ることは知られている。「真理は私の口から語られます。私はここにいます。そして、それを知っているあなた、私が誰なのか仰ってください。」そして我々が察知するのは、この主人の返答の巧みさがどういうものであれ、ヒステリー症者が主人に次のように諭すことである。すなわち、まだそうではなく、彼女のここは捉え難いものであり、彼女が満足するようにゼロからやり直し、多くを努めねばならない、ということである。そのようにして彼女は主人を指導し、主人の主人となる。同様に、芸術は常にすでにそこにあり、思考する者に対して芸術とは何かという無言ではあるが輝かしい問いを差し向ける。ただし芸術は、絶え間なく更新と変形を行うので、哲学者が芸術に関して述べるどんなことにも失望しているのだと表明するのだ。

ヒステリー症者の主人はと言えば、もし彼が愛情としての従属関係を嫌がり、疲労を伴う割には常に期待はずれの知の生産によって維持しなければならない偶像崇拝の関係を渋るなら、ヒステリー症者を鞭で打つしか選択の余地はほとんどなくなる。同様に、主人である哲学者は、芸術に対して、偶像崇拝か検閲かの二つのあいだで分裂したままである。あるいは彼は若者や弟子にこう言うだろう。理性を逞しく教育することの肝は、〈創造物〉に対して距離を保つことだと。あるいは、次のように言って譲歩してしまうだろう。我々を虜にする不透明な輝きをもつこの創造物のみが私たちに抜け道を教え、そこを通ることによって真理は知の生産を要請できるのだと。

私たちに要請されていることが芸術と哲学を結びつけることであるのならば、この結びつきは形式的に二つのシェーマのもとで考えることができると思われる。

一つ目を私は教育的シェーマと名づけよう。その命題とは、芸術は真理に対して無能である、あるいは、真理全体は芸術の外側にあるということだ。確かに、芸術は（ヒステリー症者のように）実質的な真理、直接的あるいは裸の真理という形をとって提示されるのだと、そして、この裸形性が芸術を真なるもの〔vrai〕の純粋な魅惑として見せるのだと認めることができるだろう。より正確に言うならば、芸術とは、根拠をもたず、論証されていない真理の、そこにあるという状態にくみ尽くされる真理の外観なのだ。しかし――これがまさにプラトン的訴訟のもつ意味の全てなのであるが――、この主張、この誘惑は拒絶されることになるだろう。ミメーシスに関するプラトン的議論の核心とは、芸術を、事物の模倣としてではなく、真理がもつ効果の模倣として示すということである。この模倣はその直接的な性格から自らの潜勢力〔puissance〕を引き出す。そのときプラトンは、真理の直接的なイメージの虜になることは回り道から遠ざかることになると主張するだろう。もし真理が魅惑として存在しうるならば、私たちはそのとき弁証法という労苦の力、〈原理〉に戻るためのゆっくりとした議論の力を失ってしまうだろう。したがって、いわゆる芸術という直接的な真理とは、間違った真理なのだと、真理の効果に固有の見せかけであるのだと暴く必要がある。これが、芸術についての、ただそれだけについての定義である。すなわち真理の見せかけの魅惑となること。

以上のことから、芸術は糾弾されるか、あるいは純粋に道具のような形で扱われなければならなくなる。芸術は厳しく監視されるが、外部によって規定されている真理に、見せかけや魅惑という一時的な力を与えるものとなりえるかもしれない。受け入れられる芸術とは、諸真理の哲学的監視のもとに置かれなければならない。芸術は感受性の教育であり、その意図を内在性に委ねることはできないだろう。芸術の規範は教育であるべきなのだ。そして教育の規範とは哲学である。私たちの扱う三つの項の最初の結びつきである。

この観点からすれば、本質的なことは芸術の制御ということになる。ところがこの制御は可能なのである。なぜだろうか？　もし芸術が可能とする真理が芸術のもとに外からやってくるとするなら、そしてもし芸術が感受性の教育であるなら、結果として――これが重要なポイントであるのだが――、芸術の「良き」本質は、芸術作品にではなく、公共における効果のなかに委ねられることになるからだ。ルソーはこう書くだろう。「スペクタクルは人々のために作られるのであり、その絶対的な質はその効果においてのみ判断できる」[1]と。

したがって、教育的シェーマにおいて、芸術の絶対なるものは見せかけの公共効果の制御のもとにあるのであって、この公共効果自体、外部の真理にとって規範化されているものなのだ。

この教育的命令に対して、私がロマン主義的シェーマと呼ぼうとしているものが完全に対立する。その命題とは、芸術だけが真理を可能にするというものである。そのような意味において芸術は哲学が指し示すことしかできないものを完全に実現する。ロマン主義的シェーマにおいて、芸術は真なるものの現実の身体なのである。あるいはさらに言うなら、ラクー＝ラバルトやナンシーが文学的絶対と名づけたものである。この現実の身体は栄光に満ちた身体であるのは明らかである。哲学はまさしく、隠遁している不可知の〈父〉となることができる。芸術は、救済し解放しにやって来た悩める〈息子〉である。天才とは磔刑と復活である。その意味で、教育を行うのは芸術それ自体なのである。というのも芸術は、一つの形式という死刑に値する凝縮のなかに拘留された無限の潜勢力を教示するからである。芸術は概念の主観的な不毛性から私たちを解放する。芸術は主体として絶対なるものなのであり、受肉なのだ。

しかしながら、教育的な追放とロマン主義的な称揚のあいだで（とりわけ時系列的ではない「あいだ」で）、芸術と哲学のあいだの比較的平和な時代があるようなのだ。芸術に関する問いはデカルト、ライプニッツ、あるいはスピノザを悩ませることはない。これら偉大な古典作家たちは、制御の厳格さと忠誠の恍惚とのあいだで選択を迫られたことはなかったと考えられる。

すでにアリストテレスが芸術と哲学のあいだである種の平和条約にサインをしなかっただろう

か？　そう、明らかに三つ目のシェーマがあるのだ。それは古典主義的シェーマである。このことに関して最初に言えるのは、このシェーマは芸術を脱ヒステリー化するということである。

アリストテレスによって組み立てられたものとしての古典主義的な装置は、二つの命題によって成り立っている。

（a）芸術――教育的シェーマが支持するもののように――は、真理を可能にすることができないのであり、その本質とは模倣的である。そして、その領域とは見せかけの領域である。

（b）大したことではない（プラトンが信じたこととは逆に）。大したことではないのだ。なぜなら芸術の宛先は真理では全くないからだ。確かに芸術は真理ではないが、真理であろうと望むわけでもない。したがって芸術は無実である。アリストテレスは芸術を知識とは全く別のものに秩序づけるのであり、そうしてプラトン的な懐疑から芸術を解放するのである。この別のものとは、彼が時おりカタルシスと名づけるものであり、見せかけのものへ感情移入するなかで生じる様々な情念を供述することに関わる。芸術は治療の機能をもつのであり、認識に関わるもの、あるいは啓示的なものでは全くない。芸術は理論的なものではなく、（この言葉の最大限の意味における）倫理的なものに属するのである。結果として、芸術の規範とは、魂の様々な疾患の治療におけるその有用性であるということになるのだ。

芸術に関する主要な諸規則は古典主義的シェーマの二つの命題から直ちに推論される。

まず、芸術の基準は好まれることである。この「好まれること」というのは、意見という基準、すなわち最大多数という基準では全くない。芸術は好まれなければならない。なぜなら「好まれること」とは、カタルシスの実効性、様々な情念が芸術的に治療されることが現実のものとしてあることを知らせるものだからだ。

次に、「好まれること」が参照させるものの名前は真理ではないということである。「好まれること」は、真理から同一化の構成を引き出すものだけに関係する。真なるものへの「類似」は、それが芸術を観る観客を、「好まれること」のなかに、つまり同一化のなかに入り込ませる限りにおいて必要とされる。同一化は感情移入、したがって様々な情念の供述を組織するのだ。この真理の断片とはむしろ、真理が想像的なもの〔*imaginaire*〕のなかで強いるものである。真理による「想像的なものにすること」は、あらゆる現実的なもの〔réel〕から切り離されており、古典主義の作家たちはこれを「本当らしさ」と呼ぶのである。

最終的に、芸術と哲学のあいだの和解は、真理と本当らしさのあいだの境界をはずすことによって完全に成り立つ。だからこそ、次のような典型的な古典主義的格言があるのだ。「真なるものはときには本当らしくないこともありえる」、この格言は境界を取り外していることを言明しているのであり、芸術の隣に哲学の諸権利の場を取っておくのだ。見て分かるように、本当らしさではない可能性を自らに与えるのは哲学なのである。哲学の古典主義的な定義とは、本当らしくはない真理、なのである。

この和解のために支払われる代価とはどのくらいのものだろうか？　おそらく芸術は無実なの

であるが、それはあらゆる真理に対して無実だからなのだ。つまり、想像的なもののなかに属しているからである。厳密に言えば、古典主義的シェーマにおいて芸術は思考たりえない。芸術の全体がその行為のなか、あるいは公共的操作のなかにある。「好まれること」は芸術を一つのサービスへと秩序づける。古典主義的な見方において、芸術は公共サービスなのだと言うことができるだろう。そもそも、そのようにすることで国家は、絶対主義による芸術と芸術家の従属化のなかで、そしてそれと同様に予算に関する近代的な争いごとのなかで、芸術を理解するのだ。国家は（むしろ教育的な社会主義国家をおそらく除いてだが）、私たちにとって重要なこの結びつきに関しては、本質的に古典主義的なのである。

まとめよう。

教育主義、ロマン主義、古典主義は、芸術と哲学の結びつきに関して考えられうるシェーマであり、この結びつきの第三の項とは、様々な主体への、とりわけ若者たちへの教育である。教育主義において、哲学は、真なるものの外側にあるその宛先を教育的に監視するという様態のうちに芸術と結びつく。ロマン主義において、芸術は、〈観念〉の哲学的無限性が可能とする主体的な教育の全てを有限性のなかで実現する。古典主義において、芸術は欲望を捕らえ、その欲望の対象の見せかけを提示することによって、欲望の転移を教育する。哲学はここでは美学としてしか召喚されていない。つまり、哲学は「好まれること」の諸基準に関して自らの意見を伝えるのだ。

もうすぐ終わろうとしている私たちの世紀を性格づけるのは、私の考えによれば、この世紀が集団的な規模で新たなシェーマを導入しなかったということである。この世紀が、数々の「終わり」、断絶、大参事の世紀であると主張されているとしても、私たちに関わる結びつきにとって、私はこの世紀をむしろ保守的で折衷主義的だとみなす。

二十世紀における思考の集団的配置とはどのようなものだろうか？　集団として割り出すことが可能な特異性とは？　私にはそれらのうち三つだけが見える。マルクス主義、精神分析、そしてドイツの解釈学だ。

ところで、芸術の思考に関して言えば、マルクス主義は教育主義的であり、精神分析は古典主義的であり、ハイデガーの解釈学はロマン主義的であるのは明らかである。

マルクス主義が教育主義的であるということが、社会主義国家による至上命令や迫害によってまず証明されることであってはならない。最も確かな証拠はブレヒトの鋭敏で創造的な思考のなかに見出される。ブレヒトにとって、普遍的で外在的な、科学的な性格をもつ一つの真理があるのだ。その真理とは弁証法的唯物論であり、これが新たな合理性の土台を構成することをブレヒトは決して疑わなかった。その真理はその本質において哲学的であり、「哲学者」はブレヒトの教育的な対話の登場人物－案内役なのである。この「哲学者」こそ、弁証法的真理を潜在的に想定することによって芸術の監視を請け負っているのだ。さらにこの点においてブレヒトはスターリン主義者である。もしスターリン主義が政治と弁証法的唯物論的哲学の、後者の管轄における合体として然るべく理解されるならば。あるいは、ブレヒトはスターリン化されたプラトン主義を実践しているのだと言おう。ブレヒトの究極の目的とは一つの「弁証法的な友愛社会」を作ることだったのであり、劇場とは、様々な見地から照らしてみてそのような社会を作るための方法だったのである。異化効果は、劇場の教育的目標を哲学的に監視するための「幕物による」仕様《プロトコル》である。見せかけはそれ自体から距離を置かなければならない。それは、隔たり自体において、真なるものの外在的な客観性が示されるためなのである。

　結局、ブレヒトの偉大さとは、プラトンがそうするように存在する芸術を良い悪いと分類して満足する代わりに、プラトン的（教育主義的）芸術の内在的な諸規則を執拗に探求したことである。彼の「非アリストテレス的」な（つまり、古典主義的ではなく、結局はプラトン的な）劇場とは、芸術を従属させるという反省的要素のなかでなされた卓越した芸術的発明なのである。ブレヒトは、プラトンの反演劇的な態勢を、演劇という形で活動的なものにしたのである。外側の真理を可能な限り主体化するという諸形式の中心に芸術を置くことで、彼はそれをなそうとしたのである。

　さらにそこから叙事詩的次元の重要性を考えねばならない。というのも、叙事詩的なものとは、演技の合間に真理の勇敢さを提示するということだからである。ブレヒトにとって、芸術が真理を生み出すことは全くない。だが芸術は、真なるものを前提として、その勇敢さの諸条件を解明するものである。芸術とは、監視のもとで臆病さを治療することなのである。一般的な臆病さではなく、真理を前にしての臆病さである。当然そのような理由から、ガリレイの形象が中心にあるのだし、この演劇作品はブレヒトによる複雑な形をした傑作なのである。そこでは、真なるものの外在性の内側に叙事詩があるという逆説がそれ自体を軸として回転しているのだ。

私からしてみれば、ハイデガー的な解釈学がいまだロマン主義的であるというのは明白である。この解釈学は見たところ、詩人の言うことと思想家の考えることの識別不能な絡み合いを示してくる。しかしながら詩人がいまだ優位に置かれている。というのも思想家は、回帰の告知、窮乏の極みにおける神々の到来という約束、存在の歴史性を回顧的に解明することといったものでしかないからである。一方で詩人は自分の務めとして、言葉の肉体のなかで、〈開かれ〉の、摩滅した番人の仕事を実行するのである。

ニーチェという哲学者－芸術家の裏で、ハイデガーは詩人－思想家という形象を展開したと言うことができるだろう。しかし、私たちにとって重要なこととしてあるのは、ロマン主義的シェーマを性格づけるものとは、循環するのは同じ真理であるということなのだ。存在の退隠〔retrait〕は、詩と解釈の結合のなかにある思考のもとにやって来る。解釈は詩を有限性の揺らぎへと委ねることしかしないのであり、そこでは思考は、間伐地としての存在の退隠に耐えることを学ぶ。思想家と詩人は、それぞれが互いに寄りかかるなかで、閉じられた存在の開きを言葉《パロール》のなかに受肉化するのだ。その点において詩はまさしく比類なきものとしてあり続ける。

精神分析はアリストテレス的であり、断じて古典主義的である。このことを確信するためには絵画に関するフロイトの論文や演劇や詩に関するラカンのものを読み直せばよい。そこでは芸術は、象徴化不可能な欲望の対象が、象徴化の極みそのものから免算されるなかで出来するように組織するものと考えられている。作品は、その形式的な華麗さのなかで、失われた対象の言い難い輝きを消し去るのだ。そうすることで作品は抵抗できないほどに、そこに身を晒す者の視線あるいは耳を引きつける。芸術作品は、一つの転移をつないでいく。なぜなら、芸術作品は、現実的なものによる象徴的なものの切り取りを、すなわち欲望の原因である対象aから象徴的なものの源泉である大文字の他者への外密〔extimité〕を、特異で撚り合わせるような布置のなかで提示するからである。そうすることで作品の最終的な効果は想像的なものであり続けるのだ。

そこで私はこう言おう。芸術と哲学のあいだの結びつきに関する様々な教義を本質的なところで修正しなかった今世紀は、それでもこれらの教義の飽和を感じ取ったのだと。教育主義は、人々に仕えるなかでの芸術の歴史的そして国家的実践によって飽和化されている。ロマン主義は、神々の帰還という想定に常に結びつけられた、ハイデガー的装置のなかに純粋な約束としてあるものによって飽和化されている。そして古典主義は、欲望理論の完全な展開がそこにもたらす自己意識によって飽和化されている。このことから、「応用精神分析」というものの幻影に惑わされるのでなければ、精神分析の芸術に対する関係は精神分析それ自体に届けられる一つのサービスでしかないという破滅的な確信が生じる。芸術の無償サービスである。

これら三つのシェーマが飽和していることで今日生み出されるのは、諸項の結び目の一種の分解、芸術と哲学をむすぶ関係の絶望的な解消、そしてこれらのあいだを巡るもの、つまり教育的テーマの純粋で単純な失墜である。

ダダイズムからシチュエーショニズムまでのこの世紀のアヴァンギャルドは、現代芸術のエスコート役でしかなかったのであり、この芸術の諸操作を適切に指示することはなかった。これらのアヴァンギャルドは結びつけるというより表象の役割を担ったのである。それは、これらのアヴァンギャルドが、仲介的シェーマ、つまり教育－ロマン主義的シェーマの絶望的で不安定な探求でしかなかったからである。これらアヴァンギャルドが教育主義的であったというのは、芸術の疎外された非本来的な性格を告発することによって芸術を終わらせようとした欲望からそう言える。ロマン主義的というのも、芸術は絶対性として、それ固有の諸操作に対する完全な意識として、そして直ちに読解可能な自己自身の真理として、すぐに蘇るはずだと確信していたことからそう言えるのである。教育－ロマン主義的シェーマの提示として、あるいは、創造的破壊の絶対性として考えられたアヴァンギャルドは何よりもまず反古典主義的であったのだ。

これらアヴァンギャルドの限界とは、教育主義的シェーマの現代的な形式とも、ロマン主義的シェーマのそれとも、持続可能な形で同盟を確かなものとすることができなかったことである。経験論的に言えば、ブルトンとシュールレアリストによるコミュニズムは寓意的なものにとどまり、マリネッティと未来派によるファシズムと全く同様であった。アヴァンギャルドは、意識的な目的地であった反古典主義の統一戦線を指揮するに至らなかった。革命的な教育主義は、これらアヴァンギャルドを、ロマン主義的なものをもっているという理由で非難した。つまり、完全な破壊と、無から〔*ex nihilo*〕作られた自己意識による左翼主義であり、広範囲なアクションを起こせず、いくつもの小集団に分割してしまうというのである。解釈学的ロマン主義は、アヴァンギャルドを教育主義的なものをもっているということで非難した。つまり、革命的なものへの親和性、知性主義、国家への軽蔑があるというのである。そして、とりわけ、アヴァンギャルドの教育主義が美学的な意志主義によって注目されたからである。今では、ハイデガーにとって、意志は現代のニヒリズムの主体的な最終的形象であることが知られている。

アヴァンギャルドは今日消滅してしまった。包括的状況とは結局次のようなものだ。受け継がれた三つのシェーマの飽和であり、今世紀に試みられた唯一のシェーマによる効果全ての終焉である。これが実は総合的シェーマ、すなわち教育–ロマン主義的シェーマであった。

命題、このささやかな書物はこの命題をめぐる一連のヴァリエーションでしかないのだが、それはしたがって次のように言われるだろう。飽和と終焉という状況に照らしてみれば、新しいシェーマ、すなわち哲学と芸術のあいだを結ぶ四つ目の様態を提示しようと努めねばならないと。

探求の方法はまずネガティブなものとなるだろう。今日それを手放すことが重要であるような、教育主義的、ロマン主義的、古典主義的なこれら相続された三つのシェーマが共通項としてもつものとは何だろうか？　三つのシェーマに「共通」するものとは、私が思うに、芸術と真理の関係に関わってくる。

　この関係のカテゴリーは内在性と単独性である。「内在性」は、次のような問いに差し向けられる。真理は、作品の芸術的な効果の内部に実際あるのだろうか？　あるいは、芸術作品は外部にある真理の道具に過ぎないのだろうか？　「単独性」は別の問いへと差し向けられる。芸術が証言する真理は芸術にとって絶対的に固有のものなのか？　あるいは真理は、活動する思考の他の領域のなかにも伝わるのだろうか？

　さて、何が確認されるだろうか？　ロマン主義的シェーマにおいて、真理が芸術に対してもつ関係は確かに内在的なのだが（芸術は〈観念〉の有限化された降下を提示する）、単独的ではない（というのも、真理というものが問題となっているのであり、思想家の思考は、詩人の言葉が露わにするものとは異なる何ものにも同意することはないからである）。教育主義では、関係は確かに単独的であるが（芸術だけが見せかけという形のもとに一つの真理を見せることができる）、内在的では全くない。というのも、結局真理の位置は外在的だからである。そして最後に古典主義であるが、これは、本当らしさという形をとって、真理が想像的なもののなかで強いるものだけが問題となる。

　これら相続されたシェーマにおいて、芸術作品が真理に対してもつ関係は単独的であると同時に内在的である、というようには決してならないのだ。

したがって、この同時性を肯定することにしよう。このことは次のようにも言えるだろう。つまり、芸術はそれ自体真理の手続きなのであると。あるいはさらに、芸術の哲学的な同一化は真理のカテゴリーに属する、とも言えるだろう。芸術は一つの思考であり、その作品とは現実的なものであるのだ(効果ではない)。そして、この思考、あるいはそれが促す諸々の真理は、科学、政治あるいは愛の真理といった他の真理に還元されることはない。このことが意味するのは、特異な思考としての芸術は、哲学に還元されることはないということでもある。

内在性。芸術はそれが惜しみなく与える数々の真理と厳密に外延を共にする。

単独性。これらの真理は芸術以外の場で与えられることはない。

このようなものの見方において、結びつきの三つ目の項、つまり芸術の教育的機能はどうなるだろうか? 芸術はただ単に教育的である。なぜならそれは諸真理を生み出し、「教育」は次のこと以外決して何も意味しなかったからである(そうでなければ、抑圧的で倒錯的な構成のなかで何か意味しただろう)。つまり、様々な知を配置することにより、何らかの真理がそこに穴を開けられるようにすることなのだと。

芸術が教育する目的とは、芸術の実存以外の何ものでもない。この実存に出会うことだけが問題なのであり、つまり、思考を思考することなのである。

したがって哲学は、芸術との関係として、真理のあらゆる手続きとの関係と同様に、芸術をあるがままに見せなければならないのである。哲学は実際、諸真理との出会いの仲介者であり、真なるものの斡旋者なのだ。そして、美は出会う女性のうちにあるはずで、斡旋者が必要とするものでは全くないのと同様に、真理は、哲学ではなく、芸術、科学、愛あるいは政治に関わるのである。

問題はそのとき、芸術的手続きの単独性、すなわち還元不可能な差異化を可能にするものに集約される。例えば、科学や政治との関係からの差異化である。

ほとんど無邪気とも言えるはっきりと明示された単純性のもとで、芸術は、内在的で単独的な独自の真理の手続きであるという命題は、実際、絶対的に革新的な哲学的定理なのだということを確認しなければならない。この命題から生じる大半の帰結はいまだヴェールを被った状態なのだが、再定式化という重要な作業を要求してくる。この徴候が窺えるのは、例えばドゥルーズが、「〈観念〉の感覚的な形式」としての芸術というヘーゲル的な主題との逆説的な連続性のなかで、芸術を感覚的なものそのもの（変様態《アフェクト》と被知覚態《ペルセプト》）の側に割り当て続けるときである。そのようにして彼は、思考としての芸術の本当の宛先をいまだ全く明白にしない様式にしたがって、〈概念のみを発見するよう定められた〉哲学から芸術を分離してしまうのだ。というのも、このような事態のなかで真理のカテゴリーを召喚しないとなると、芸術、科学、哲学の差異化が生じる内在性の面を確立することができなくなってしまうからである。

主要な困難は次のような点にあると私には思われる。芸術を諸真理の内在的な生産として考えようとするとき、「芸術」として名づけられるものの正当な単位とはいったい何であるのか？

それは芸術作品なのか、すなわち一つの作品の特異性なのか？　作家なのか、創造者なのか？あるいは他のものなのか？

この問いの本質とは実際のところ無限と有限の関係の問題に関わる。真理とは無限の多数性なのだ。ここでは、他のところでしたような論証的なやり方でこの点を立証することはできない。それは、ロマン主義的シェーマの支持者が確かに見たものであるが、直後に、有限性の、すなわち〈観念〉をもつキリストのような芸術家という美学的な図式のなかでその彼らの発見は摩滅させられてしまうと言っておこう。あるいは、より概念的になってしまうのである。真理の無限性とは、それによって真理が、確立された知への純粋で単純な一致から免算されるところのものなのだ。

ただし、芸術作品は本質的に有限である。三重の意味で有限である。まず、芸術作品は、空間と／あるいは時間のなかで有限な客観性として展示される。次に、芸術作品は常に、完成というギリシャ的な原則によって規範づけられている。芸術作品はそれ自身の限界を充たすことによって生きるのであり、作品はそれが可能とする全き完璧さを展開するのだと指し示すのだ。最後に、そしてこれが特にそうなのであるが、芸術作品は自らの目的に関する問いにそれ自体において答えてくるのであり、それは自らの有限性を示す説得力をもった手続きなのである。そもそもこのような理由によって(真なるものの類生成的《ジェネリック》な無限から芸術作品を分かつ他の特徴であるのだが)、芸術作品はあらゆる点において取替え不可能なものである。一度でも自らに固有の内在的な目的に「放たれた」なら、その作品は永遠にそのようなものであり続けるのであり、どんな修正あるいは変更も芸術作品にとって非本質的あるいは破壊的なのである。

芸術作品とは、実は、存在する唯一の有限のものなのだということを私は進んで主張したい。芸術は有限性の創造なのである。つまり、呈示という有限的な切断のなか、そしてその切断によって自らの組織を展示し、そして、その境界画定を浮かび上がらせるという、内在的に有限な多の創造なのである。

したがって、もし作品が真理であると主張するのなら、同様に、作品は無限－真なるものの有限性のなかへの降下であるということを主張しなければならないだろう。しかし、無限なるものの有限への降下という形象は、まさしく芸術を受肉と考えるロマン主義的シェーマの核心である。このシェーマがドゥルーズのなかにいまだ残っているのが見られるのは驚くべきことである。彼にとって芸術とは、カオス的な無限と、他のあらゆるもの以上に忠実な関係を保つのであり、それはまさしく芸術が無限を有限のなかで形作るからである。

古典主義的でなく、教育主義的でもなく、ロマン主義的でもない哲学／芸術が結びついたシェーマを提案したいという欲望が、芸術が可能とする諸真理のもとに芸術を吟味する正当な単位としての作品を維持することと両立するようには思われない。

さらなる困難があればなおさらである。どんな真理も一つの出来事を起点とする。さらにここで私はこの主張を公理の状態に委ねることにする。もし何も生じていないならば、もし「場以外の何ものも生じなかった」ならば、何かを発見できると想像することは無駄なのである（あらゆる真理は発見である）と言おう。というのも、この場合、発見に関する「天才的な」あるいは観念論的な見解へと我々は送り返されてしまうからである。私たちにとって問題なのは、作品に関して、その作品は一つの真理であると同時にこの真理の起点となっている出来事でもあると言うことは不可能であるということなのだ。芸術作品は、構造としてよりも出来事的な特異性として考えられなければならないとごく頻繁に主張される。しかし、出来事と真理のどんな合体も真理の「キリスト的」ヴィジョンの話になってしまう。そのとき真理は、それ自体の出来事的な自らによる啓示でしかなくなってしまうからである。

辿るべき道は私にとってごくわずかの提案のなかでもちこたえることであるように見える。

――一般的に言えば、作品は出来事ではない。作品は芸術の事実であり、芸術的手続きがそれによって織り上げられているところのものである。

――作品は真理でもない。真理とは出来事が先導する芸術的手続きである。この手続きは作品によってしか構成されない。しかし、この手続きは――無限性のように――どこにも表明されない。作品はしたがって局所的な審級なのであり、真理の微分点なのである。

――芸術的手続きのこの微分点、我々はこれを手続きの主体と呼ぶ。作品は、考察された芸術的手続きの主体である。あるいは作品はこの手続きに属する。あるいはさらに言えば、芸術作品は芸術的真理の点-主体なのである。

――真理は諸作品以外の何ものももつことはない。真理は諸作品の類生成的《ジェネリック》（無限の）多である。だが、それらの作品は、芸術的真理の存在を、作品が直面する相次ぐ状況の偶然性にしたがうことでしか織り上げることはない。

――次のようなことも言えるだろう。作品とは、それが局所的に現働化する真理の上に、あるいはそれがその有限の断片であるところの真理の上に位置づけられた探求である。

――作品はこのように新しさの原則に従っている。というのも、探求は現実の芸術作品として事後的に有効と認められるのであり、それは、作品そのものがかつて生じなかった探求であり、すなわち真理の横糸の前代未聞の点‐主体である限りにおいてそうなるからだ。

――諸作品は、芸術的布置〔*configuration artistique*〕の制約を制定するという出来事‐後の次元において一つの真理を構成する。真理とは、結局出来事によって先導され（出来事とは一般的に諸作品の一つの集まりなのであり、諸作品という特異な多である）、真理の点‐主体である諸作品の形式のもとで偶然にも展開される芸術的布置なのである。

　したがって、内在的で特異な真理としての芸術に関する思考の正当な単位は要するに、作品でも作者でもなく、（一般的に、以前の布置を廃れたものにしてしまう）出来事的な切断によって先導された芸術的布置なのである。この布置は、類生成的《ジェネリック》多なのだが、固有名も有限の輪郭ももつことなく、ただ一つの述語のもとで可能となるような全体化も行うことはない。我々はそれを汲み尽くすことはできず、ただ不完全に描写するしかない。それは芸術的な一つの真理なのであり、誰もが真理の真理はないと分かっているのだ。一般的にこの布置は抽象的な諸概念（形象化、音色、悲劇……）によって指し示されるのである。

この「芸術的布置」から、より正確に何を理解すればよいのだろうか？ 布置は、芸術でも、ジャンルでも、芸術の歴史の「客観的な」時期でもなく、「技術的な」装置ですらない。それは、出来事的に先導され、諸作品の無限の潜在的な複合体によって構成された一つの識別可能な配列なのである。これに関しては次のように言うことに意味があるだろう。この配列は、問題となる芸術の厳密な内在性のなかで、この芸術の真理、一つの真理‐芸術を生み出すのであると。哲学はこの布置の痕跡を届けることになるだろう。哲学は、この布置がどのような意味で真理のカテゴリーによって把握されているのかを示すことができるからである。しかし、逆に、真理のカテゴリーの哲学的な組み立ては、時間の芸術的布置によって特異なものとなるだろう。したがって、布置は、最も頻繁に、芸術の実質的な過程とそれを把握する哲学との繋ぎ目のなかで確かに思考可能なのである。

例としてギリシャ悲劇を挙げよう。これは、プラトンあるいはアリストテレスからニーチェまで幾度となく布置として捉えられてきたものである。先導する出来事とは「アイスキュロス」という名であるが、この名はむしろ、あらゆる出来事的な名のように、詩歌をめぐるそれ以前の状況のなかの中心的な虚空の指標《インデックス》なのである。エウリピデスとともに布置は飽和状態に陥ったことは知られている。我々は、構造的すぎる装置である調性体系よりもむしろ、チャールズ・ローゼンが述べる意味での古典様式の音楽を挙げよう。それは、ハイドンとベートーヴェンのあいだで識別可能な配列としてあるものだ。そして、セルバンテスからジョイスまで、小説は散文のための布置の名であるとおそらく言えるだろう。

布置の飽和（ジョイスの頃の物語小説、ベートーヴェンの頃の古典様式など）と言っても、この布置が有限の多数性であるというわけでは全くないということが認識されるだろう。というのも、布置自身の内部において、何もこの布置を制限したり、その目的の原則を展示したりするわけではないからである。固有名の希少性、配列の短さとは、帰結なき経験的な素材である。そもそも、布置の意義のある例示として、あるいは布置の類生成的《ジェネリック》な軌道の「輝く」点－主体として取り上げられる数々の固有名の向こう側に、実際常に、マイナーで、忘れさられ、余計なものなどとしてある点－主体が潜在的に無限の量としてあるのであり、これらは、布置によって存在する内在的真理にそれでもなお属しているのである。確かに、布置は、明らかに知覚可能な諸作品を、あるいは真理それ自体の上での決定的な探求をもはや生じさせないということも起こりうる。一つの計算不可能な出来事が、新しい布置の制約からすれば廃れてしまったものとしての布置を事後的に出現させることも起こりうる。しかし、いずれにしても、物質を構成する諸作品と違って、真理－布置は、内在的に無限なのである。このことがはっきりと意味するのは、この真理－布置は、内部に起こるどんな最大値も、どんな最盛期も、どんな結論も経験することがないということである。そもそも、この真理‐布置が、不安定の時代において再把握されたり、新しい出来事の命名のなかで再連結されたりすることは常にありえるのだ。

考えられる限りにおいて一つの布置を引き出すということは、哲学の縁でしばしば起こるということから——なぜなら哲学は、特異な真理としての芸術、したがって無限の布置のなかに配置されるものとしての芸術という条件のもとにあるからである——、芸術を思考するということは、哲学に舞い戻ることだと結論づけることを特にしてはならない。実際は、布置はそれを構成する諸作品のなかでそれ自体を自ら思考するのである。というのも、忘れてはならないことだが、作品とは布置の上での発見的探求なのであり、したがって、（その無限の完成という想定のもとで）布置はこうなっているであろうという思考を思考するものだからである。より正確に言おう。布置は、探求という試練のなかで自らを思考するのであり、この探求は同時にこの布置を局所的に構成し、その未‐来〔l'à-venir〕の姿を描き、時間の湾曲を遡及的に反映するのである。この観点からして、諸作品の「真理における」布置である芸術は、各点において、芸術がそうであるところの思考についての思考であるということを主張しなければならないのだ。

その際、私たちは三つの問題を受け継ぐ。

——現代的な布置とはどういったものか？

——芸術という条件のもとにある哲学に関してはどうなのか？

——教育のテーマはどうなっているのか？

最初の点は置いておこう。芸術に関する現代的思考の全体は、今世紀を印づけた芸術的布置に関する大変面白い様々な探求に満ちている。セリー主義、小説的散文、詩人の時代、あるいは形象化からの断絶などである。

二点目に関しては、私の信条を繰り返すしかない。哲学は、いやむしろ、ある一つの哲学とは常に真理のカテゴリーを生成させることである。哲学はそれ自体どんな実質的な真理も生み出すことはない。哲学は諸真理を把握し、それらを示し、展示し〔expose〕、それらがあるのだと言明するのである。そうすることで哲学は時間を永遠へと転じさせる。というのも、あらゆる真理は類生成的《ジェネリック》な無限性として永遠だからである。要するに、哲学は種々雑多な諸真理を同時に可能にし、それによって、哲学が作用するところの時間、そこで生じる諸真理の時間として示されるこの時間とは何であるのかを言明するのである。

三点目に関しては、諸真理によってしか教育はありえないということを思い出そう。いつまでも続く問題とは、この真理はあるのかということであり、もしなければ哲学的カテゴリーは単に空っぽで、哲学的行為はアカデミックな屁理屈ということになってしまうだろう。

この「ある」は、芸術と哲学が共同責任にあることを告げている。芸術は諸真理を生み出し、哲学は、それらがあるという条件のもとで、これら諸真理を示さなければならないという困難な務めを抱えている。諸真理を示すということは、本質的に、意見《オピニオン》というものから真理を区別するということを意味する。したがって、今日における問いとは次のこと以外の何ものでもない。意見《オピニオン》以外のものが存在するのだろうか？　つまり、挑発を許してくれるのなら（あるいはそうでなくとも）、私たちの「民主主義」以外のものが存在するのだろうか？

私を含めてたくさんの者がそうだと答える。そう、芸術的布置があるのであり、布置の思考する主体としての作品があるのであり、それら全てを意見《オピニオン》というものから概念的に分離する哲学があるのだ。私たちの時代とは、それが鼻にかける「民主主義」より価値があるものなのである。

この確信を読者のなかで育むため、諸芸術のいくつかの哲学的識別にまず着手しよう。詩、演劇、映画そしてダンスがその題材となるだろう。

第2章　詩とは何か、それについて哲学は何を思考するのか？

『国家』第十巻のなかでなされた詩に対する徹底的な批判は、〈観念〉についてのプラトン哲学の特異な限界を表明してしまっているのだろうか？　あるいはそれは逆に、詩とは初めから相容れないのだとそのように表明する哲学それ自体を、すなわち「あるがままの」哲学を構成する一つの振る舞いなのだろうか？

議論の精彩を失わないためにも、詩に対するプラトン的振る舞いがプラトンにとって二次的なものでも論戦的なものでもないということを理解することが重要である。この振る舞いは実のところ決定的なものなのだ。プラトンは次のことをためらわず明言する。「私たちが原理を決めたばかりの都市は最上のものであり、何よりもまず、詩に反対するために定められた方策のおかげである[1]」と。
どうあっても、この驚くべき言明の断定的な調子をそのままにしておかなければならない。この言明は、政治的原理に向けられた方策として役目を果たすものはまさしく詩の追放なのだと私たちに単刀直入に語っているのだ。あるいは少なくとも、プラトンが詩的なものにおける「模倣的次元」と名づけるものの追放である。真の政治の運命とは、詩に対する態度の毅然さの上で決まるのだ。

さて、真の政治、正当なポリテイア〔*politéia*〕とは何だろうか？　それは哲学それ自体である。ただし、それが集合的な実存について、すなわち人間たちが集まった多についてなされた思考の確保を請け合う限りにおいてである。ポリテイアとは、自らの内在的な真理に至った集合のことなのだと言おう。あるいはさらに言えば、思考によって測定可能な集合である。

したがって、プラトンに沿うならば、次のことを提起せねばならない。都市とは、集合のなかで人間性《ユマニテ》がもつ名であり、これは詩から免れたところでその概念を保持する限りにおいて思考可能なものである。詩の力強い魅惑から集合的主観性を保護することは、都市が思考に晒されるために必要なのだ。さらに言うなら、集合的主観性は、それが「詩的なものにされている」限り、思考から免算されてもいるということであり、思考とは異質のままなのである。

よくある解釈としてあるのが――プラトンのテクストによってゆうに認められるものである――、〈観念〉から二重に隔てられている位置にある詩は（感覚的なものである最初の模倣からの第二の模倣)、集合的なものの真理がそれ固有の明瞭さに出来するかどうかを決める至上の原理へ接続することを完全に禁じてしまうというものだ。詩人の追放という仕様《プロトコル》は、詩の模倣的な性格によるものだろう。詩を禁止することと、ミメーシスを批判することは同じ唯一のことであるだろう。

ただし、この解釈はプラトンのテクストの暴力に見合っているようには私には思われない。暴力に関してプラトンは、この暴力が、彼自身にも、そして、自分自身の魂に及ぼす詩の抑えがたい潜勢力に対しても向けられていることを隠したりはしない。模倣への合理的な批判は、自分自身からこのような潜勢力の効果を引きはがさねばならないということを完全には正当化しないのである。

ミメーシスは問題の本質ではないと想定してみよう。都市について考えるために詩的に言うことを中断させる必要があるということは、ミメーシスの上流にいるかのように、創設的な不和を要求する。

哲学が考えるような思考と詩のあいだには、イメージと模倣に関するものと比べてより創設的な、より古い不和があるように思われる。

私が思うに、プラトンがこの古くて奥底にひそむ不和を暗示しているのは、彼が次のように書くときである。「古いものは哲学と詩的なものの不和である」(2)。

この不和の古代性は明らかに、思考に、思考の識別に関わっている。

詩は思考のなかで何と対立するのだろうか？　詩は、知性、ヌース、諸観念の直感と直接対立するわけではない。詩は、叡智的なものの至高の形式としての弁証法と対立するわけではない。プラトンはこの点に関して非常にはっきりとしている。詩が禁ずるのは、推論的思考、ディアノイアなのである。プラトンは言う、詩は、「それを聞く者たちの論証性の破壊である[3]」と。ディアノイアとは、貫いて行く思考のことであり、連関させ、演繹する思考である。詩の方はと言えば、これは肯定と悦楽であり、貫いて行くことはせず、閾の上にとどまる。詩は、規則的な通過ではなく、捧げもの、法則のない提示なのである。

　プラトンはこうも言うだろう。詩に対抗するために真に頼れるものとして、「尺度、数、重さ[4]」があると。魂の反詩的な部分とは、「計算するロゴスの労苦[5]」であると。さらにこうも言うだろう。演劇的な働きをする詩において勝利するのは、法則とロゴスに対する、快楽と苦しみの原理だと。

　ディアノイア、連関させ横切る思考、法則に従うロゴスである思考、それは一つの範列《パラデイグム》をもつ。すなわち数学である。したがって我々は次のことを主張することができる。つまり、思考のうちに詩が対立するのは、まさしく、数学的断絶と、数式素《マテーム》の知的な潜勢力とがもつ、思考それ自体に向けられる管轄権に対してなのだということを。

　創設的対立は、つまり次のようになる。哲学は、それが詩の権限を数式素《マテーム》の権限に置き換えた場合にのみ始まるのであり、その時にのみ政治的な現実を把握することができるのだ。

数式素《マテーム》と詩のあいだにあるこの対立の奥底にひそむ動機は二重となっている。

一方に、最も明白なことであるが、詩はイメージに、すなわち経験の直接的な単独性に従うまでであるということがある。それに対して数式素《マテーム》の方は純粋な観念のなかで始まり、そして演繹しか信用しない。したがって、詩は、感覚的な経験と不純なつながりをもち、そのつながりは言語を感覚の限界に晒してしまっている。この観点からすると、詩の思考が本当に存在するのか、あるいは詩は思考するのか、常に疑わしいのだ。

だが、プラトンにとって、疑わしい思考とは、つまり非‐思考から区別できない思考とは何なのか？　それは詭弁術である。詩は、実際、この詭弁術と重大な共謀関係を結んでいるかもしれないのだ。

対話篇『プロタゴラス』のなかで示唆されているのがまさにこのことである。というのも、プロタゴラスは詩人シモニデスの権威を後盾にして、「人間にとって、教育の決定的な部分とは詩に関して優れているということだ[6]」と表明するからである。

したがって、ソフィストにとっての詩とは、哲学者にとっての数学であると認めることができるだろう。数式素《マテーム》と詩のあいだの対立は、哲学を条件づける規律のなかで、自らの論証の分身から、つまり、自分に似ており、この類似性によって思考の行為を堕落させるものから、自らを引き離そうとする哲学の絶え間ない作業を支えていることになる。この分身が詭弁術である。詩は、ソフィストのように、可能な思考の言語的な潜勢力のなかに現われる非‐思考ということになる。

この潜勢力を中断することが数式素《マテーム》の役目であるだろう。

しかし、他方で、より深いところで、詩の思考があると、あるいは詩は思考であると想定するなら、この思考は感覚的なものと分離不可能であり、思考として区別あるいは分離することのできない思考となる。詩は思考のできない思考なのだと言えるだろう。かたや数学は直ちに思考として書き込まれる思考であり、まさしく思考可能なものである限り存在する思考なのである。

したがって、哲学にとって詩とは、思考ではない思考、思考することさえできない思考であると確かに提起することもできるだろう。だが、正確には、哲学は思考を思考し、思考を思考の思考として識別することと以外の賭け金をもたないと言うこともできよう。したがって、哲学は自らの領域からあらゆる直接的な思考を排除しなければならなくなり、そのために数式素《マテーム》による論証的省察を頼りとするのだと言えるのである。

「幾何学者でない者くぐるべからず」。プラトンは大きな門から数学者を入らせる。それは、思考の明瞭な手続きとして、思考としてしか展示されない思考としてである。そうである以上、詩の方は、遠ざけられた階段から去らなければならない。ヘラクレイトスの格言におけるのと同様、パルメニデスの表明のなかにもいまだ偏在する詩は、哲学の機能を徐々に磨滅させてしまう。なぜなら思考はそこでは、不明瞭なるものの権限を、すなわち、そのものとして展示される思考とは別のものによる言語のなかで潜勢力を発揮するものの権限を、自らに付与するからである。

しかしながら、数式素《マテーム》の明瞭性と詩のメタファーにおける不明瞭さのこの言語における対立は、現代人である私たちに恐るべき問題を提起してくる。

すでにプラトンは、数式素《マテーム》を推奨し、詩を追放するというこの主張を最後まで保持することができないでいる。それができないのは、彼自身が、ディアノイアの限界、論証的思考の限界を探求しているからだ。至高の原理、〈一なるもの〉あるいは〈善〉が問題となるとき、私たちは「実体を超えたところ」にいるのであり、したがって〈観念〉の切り抜きのなかで展示されるあらゆるものの外側にいるということに、プラトンは合意しなければならない。この至高の原理に関する思考としての贈与とは、存在するものの向こう側の存在に関する思考としての贈与としてあるわけだが、これは、どのディアノイアによっても通過されることはないとプラトンは認めなければならない。彼自身、太陽といったイメージ、「威光」や「潜勢力」といったメタファー、死者の王国から戻ってくるエルの物語といった神話に頼らなければならない。要するにここで機能しているのは、思考可能なものの原理へ思考を開くことなのであり、それは、思考可能なものを思考として制定するものを把握することのうちに、思考が吸収されるべきときになされることなのである。このようにしてプラトンは、彼自身、言語を詩的発話の力に従属させているのだ。

しかし、私たち現代人は、ギリシャ人とは全く違うやり方で、詩と数式素《マテーム》の言語的隔たりに耐えている。

なぜかと言えばまず、私たちは、詩が〈数〉に負っているあらゆるものだけでなく、詩のうちにあるまさしく知的な適性を完全に評価したからだ。

ここではマラルメが見本となる。詩的な賽の一振りの賭け金とはまさに、「他のなにものでもありえない唯一の数」と彼の呼ぶところのものが、「星のように現われ出る」ように、生じることなのである。[7] 詩は、必然性の観念的な体制のなかにあり、感覚的な欲望を〈観念〉の不確かな出来へと秩序づける。詩は思考の一つの務めなのである。

長く望んだ栄光、〈観念たち〉よ、
すべてが私のなかで高揚していた
アヤメ科の花々が
この新たな務めのために出現するのを見るために。[8]

だが、さらに言うなら、近代詩は自らを思考とみなす。詩は、言語という肉体のなかに委ねられた思考の有効性のみならず、この思考が自らを考えるために必要な諸操作全体なのである。偉大な詩的形象、マラルメにとっては〈星座〉、〈墓〉、〈白鳥〉であり、ランボーにとっては〈キリスト〉、〈労働者〉あるいは〈地獄の配偶者〉であるのだが、これらは盲目的なメタファーではない。これらは整合的な装置を組織するのであり、詩はそこに思考の体制を感覚的に呈示しようとしに来るのだ。マラルメにとっては免算そして隔離であり、ランボーにとっては現前そして中断である。

対称的に、私たち現代人は次のことを知っている。それは、存在－多〔l'être-multiple〕の布置を直接的に考える数学は、数学自体が測定することのできない彷徨と過剰の原理によって貫かれているということだ。カントール、ゲーデル、コーエンによる偉大な定理は、この世紀に、数式素《マテーム》のアポリアを示した。集合論による公理と圏論による記述のあいだの不和は、純粋に数学的な規定の何ものも選択を規範化することはできないという、思考の諸選択の制約において数学的存在論を確立したのだ。

詩が、自らがそうであるところの思考に関する詩的思考に出来するとき、数式素《マテーム》の方は、ある消失点の周りに組織されるのであって、その消失点では、数式素《マテーム》の現実的なものが、形式化のあらゆる奪回を行き詰まらせるものとしてあるのである。

見かけ上、近代性《モデルニテ》は詩を観念化し、数式素《マテーム》を洗練されたものにしていると言っておこう。こうして、近代性《モデルニテ》は、ニーチェが「あらゆる価値の価値転換」を通してやろうとしたこと以上に確かなものとしてプラトン的判断を逆転させるのである。

ここから哲学の詩に対する関係の決定的な転換が生じる。

というのも、今後この関係を維持することが可能なのは、感覚的なものと叡智的なもののあいだの対立、あるいは、美と善、イメージと〈観念〉のあいだの対立ではないからである。近代詩は〈観念〉の感覚的な形式ではなくなる。むしろ感覚的なものが詩的観念の残存しつつも無力なノスタルジーとして呈示されるのである。

マラルメの『半獣神の午後』では、独白をする「登場人物」が、自然のなかに、感覚的な風景のなかに、彼の見た官能的な夢が残した可能な限りの痕跡が存在するかどうか自問する。水は、欲情された女たちのうちの一人による冷たさを証言してはいないだろうか？　風は、もう一人の女の扇情的なため息を憶えていないだろうか？　この仮説を遠ざける必要があるとするなら、それは、水と風は、芸術による水の観念、そして風の観念が喚起する潜勢力から見れば、何でもないからである。

　　爽やかな朝、それが抗うにも、
軽やかな音を立てるのは私の笛が草叢に注ぐ水だけで
草叢は音の調和に濡れる。そして風だけが
二つの管から吹き出でたちまち発散し
乾いた雨のなかで音をまき散らす
さざ波を立てることのない地平線で、眼に見えて静謐な
霊感の人為的な息が、空へと戻っていくのだ。[9]

詩的思考の思考でもある人為的なものの可視性によって、詩は、感覚的なものが可能とするものを潜勢力をもって凌駕する。近代詩とはミメーシスとは逆のものなのだ。詩は、自らの操作に

よって、一つの〈観念〉を提示する。そこでは、対象と客観性はその〈観念〉のただの冴えないコピーなのである。

したがって哲学は、心地よいイメージと純粋な観念という単純な対立のうちに詩と数式素《マテーム》の組合せを捉えることはできない。では、哲学はどこで、言語のうちにある思考のこの二つの体制のあいだの分離を通過させるのだろうか？　私は次のように言うだろう。これらの思考の各々が、それにとって名づけることのできないものを見出す点においてであると。

この対等性を、プラトンによる詩人の追放の対角線上に置いてみよう。詩と数式素《マテーム》は、哲学的視点から検討したところ、どちらも真理の手続きの総体的な形式のなかに書き込まれていることが分かる。

数学は、存在としてある、存在の原初の不整合性としての、純粋な多の真理である。詩は、言語の限界へと至った現前としての、多の真理である。あるいは、「ある」という純粋な概念を、その経験的な客観性を消してまでも現前化する能力としてある言語による歌である。ランボーが、永遠を「太陽と混ざった海」と詩的に言明するとき、あるいはマラルメが、「夜、絶望、宝石」または「孤独、暗礁、星」という三つの言葉で、感覚的なものの〈観念〉への弁証法的な置換すべてを要約するとき、彼らは、命名というつぼのなかで、感覚的なもののはかない消滅を永遠に存在させるための言葉に合致する指示対象を創設するのである。

なるほど、その点において詩は常に「言葉《ヴェルブ》の錬金術」である。しかし、この錬金術は、もう一方のものと違って、一つの思考、「そこ」としてあるものについての思考なのであり、この「そこ」は、それ以降、くり抜きと喚起という言語の潜勢力に宙吊りにされるのである。

数学がその真理であるところの、現われることのない無感覚な多について言えば、その象徴とは虚空であり、空集合である。

詩がその真理であるところの、与えられあるいは出現し、そして消滅の瀬戸際で引き止められる多について言えば、その象徴は〈地球〉であり、この肯定的で普遍的な〈地球〉についてマラルメは次のように表明している。

そう、私は知っている　この夜の遠くで、〈地球〉が
偉大な耀きの異様な神秘を放つのを。(10)

ただし、どんな真理も、それが計算につなげられようと、自然言語の歌によって抜き出されようと、まずは一つの潜勢力なのである。真理は、自らに固有の無限の生成に対して潜勢力を振るう。それは、その完了することのない宇宙を断片的に予測することができる。もし、生成中の一つの真理が生み出す諸効果全体が限界なしにこの宇宙で展開するのなら、真理は、この宇宙がどうなるのか、それに関する想定を強制することができるのだ。

このようにして、一つの新しい潜勢力をもつ定理から、思考を新しい方向に導き、全く新たな

実践へと指示するような諸々の帰結が算出される。

しかしこのようにして、創設的な詩学から、現前の耀きの悦楽だけでなく、詩的思考の新たな方法も、つまり、言語の資源の新たな探査も引き出されるのである。

ランボーが「私たちはおまえを肯定する、方法よ！」[11]と声をあげたり、「場と方式を見つけようと躍起になっている」[12]と公言したりするのには理由があるのだ。あるいはマラルメが一つの学〔science〕として詩を導入しようとするのもそうである。

なぜならわたしは、学によって、
魂の心の賛歌を
わが忍耐による作品のなかに落ち着けたいからだ
地図、植物標本、典礼書のなかに。[13]

詩とは、消滅を背景とした現前に関する思考として、直接的な行動であると同時に、一つの真理の局所的なこの上ない形象として、思考のプログラム、潜勢力をもつ予見でもあるのであって、内在的であると同時に、創造された「他の」言語を出来させることによって言語を追い詰めることでもあるのだ。

しかし、どんな真理も、潜勢力であると同時に無力でもある。というのも、真理がそれについて管轄権をもつところのものは、全体性ではありえないからだ。

真理と全体性が両立できないということは、おそらく近代性《モデルニテ》の決定的な——あるいはポストヘーゲル的な——教えである。

ジャック・ラカンは有名な格言によってそのことを表現している。すなわち、真理は「すべて」言われることはない、半分だけ言われるのだと。[14] だが、すでにマラルメが高踏派の詩人たちを批判しており、彼らは「事物を全体的に扱い、それを差し出してくる」のだと述べている。そこで彼はこう付け加えている。「彼らは神秘を逃してしまっている」と。[15]

一つの真理が真理であろうとも、その真理は、真理を「全体的に」囲むのだと、あるいは真理の全面的な顕示だと主張することはできないだろう。詩による啓示の潜勢力は、一つの謎の周りを巡っているのであり、したがって、その謎に焦点を合わせるということは真なるものの潜勢力を、無力という現実的なものの全体にしてしまうということなのだ。そのような意味で、「文芸のなかにある神秘」は紛れもない一つの命令なのである。マラルメが「詩には常に謎があるはずだ」と主張するとき、彼は神秘に関する倫理を打ち立てているのであり、それは、真理の潜勢力によって抱かれた自らの無力の点に対する敬意なのだ。

神秘とはまさしく、詩的なあらゆる真理がその中心に、その真理が現前させることのできないものを置いておくことなのである

より一般的に言えば、一つの真理は、真理が探究するものの先端において、常に限界に出くわ

す。そこで証されるのは、真理とは単独のこの真理のことなのであり、〈全体〉の自己意識ではないということだ。

あらゆる真理が、たとえ無限へと進んで行くとしても、常に一つの単独の手続きでもあるということは、現実的なもののうちで、とにかく無力であるという点によって、あるいは、マラルメが言うように、「岩、かつては無限に対して境界を課した、たちまちに気化して霧と化する偽りの館[16]」によって証言される。

一つの真理は、それ固有の単独性である岩に躓き、唯一ここで、無力として、真理が存在すると言明されるのだ。

この躓きを名づけえないものと呼ぼう。名づけえないものとは真理が命名を課すことができないもののことである。真理がその真理の作動を予測できないところのものである。

真理のあらゆる体制は、現実的なものにおいて、それ固有のものである名づけえないものの上に成り立っているのだ。

もしそのとき私たちが詩と数式素《マテーム》のプラトン的対立に戻って来るとするなら、次のことを問うことにしよう。「現実的なものにおいて」、したがって諸真理に固有の名づけえないものに関して言えば、数学的諸真理と詩的諸真理を分かつものとは何なのだろうか？

数学的言語を性格づけるのは、演繹的忠実さである。ここから諸言表《エノンセ》を連結させていく能力を理解してみよう。この能力によって、この連結は制御され、えられた諸言表の全体は、勝ち誇るかのように、整合性の試練にもちこたえるのだ。この制御の効果は、数学的存在論の下に隠された論理のコード化に従っている。整合性の効果は中心にある。では、整合性のある理論とは何なのだろうか？　それは、理論のなかに不可能な言表が存在するという理論である。一つの理論は整合性をもつ。しかしそれは、理論のなかに書き込むことのできない、あるいは理論が真であると認めることのない、この理論の言語による「正当な」言表が少なくとも一つ存在するならば、という話なのである。

この観点からすると、整合性は、単独の思考としての理論を保証している。というのも、もしどんな言表でも理論のなかで認められるのなら、それは「文法的に正しい言表」と「理論的に真実である言表」に何の違いもないということを意味するからだ。理論はそのときただの一つの文法でしかなくなるのであり、何も思考していない。

整合性の原理とは、思考となることができる状況に数学を割り当てるもののことなのであり、そのことにより、数学は規則の単なる集合体ではなくなるのである。

しかし、ゲーデル以来私たちは、整合性がまさしく数学の名づけえない点であることを知っている。数学理論にとって、自らに固有の整合性をもつ言表を真実として確立するということは不可能なのだ。

もし今、私たちが詩の方を向くなら、詩の効果を性格づけるのは言語そのものがもつ潜勢力の顕示であるのが分かる。どんな詩でも言語のなかにもたらすのは、現われるものの消滅を永遠に固定する力、あるいは、〈観念〉の消滅を詩的にとどめておくことによって、〈観念〉としての現前そのものを生み出す力である。

しかしながら、この言語の力というのは、まさしく詩が名づけることのできないものなのだ。詩は、この力を、言語の潜在的な歌のなか、言語のもつ源泉の無限のなか、新しく言語を組み立てることのなかから汲み取ることによって実行する。しかし、消滅をとどめる方へと力を導くために詩が差し向けられるのは、言語の無限に対してなのだというまさしくそのような理由のために詩は、この無限そのものを固定することはできないのである。現前へと秩序づけられる無限の潜勢力としての言語は、まさしく詩が名づけえないものであると言えよう。

言語がもつ無限は、詩がもつ潜勢力の効果に内在する無力なのである。この無力の点、あるいは名づけえないものの点は、マラルメによって少なくとも二つのやり方で表象されている。

まず、詩が構成することも、詩的に有効であると認めることもできない一つの保証を詩の効果が前提とすることによるものである。この保証とは、秩序あるいは統辞法として把握される言語である。「了解している、これらの対照のなかに、理解可能ということに対するどんな軸があるのか？　一つの保証が必要なのだ——統辞法である」[17]。統辞法は、詩のうちにある潜在的な力なのであり、そこでは現前と消滅（無としての存在）の対照が理解できる形で示されうるのだ。だが、統辞法は、それをどんなに歪めようとも詩化可能なものではないのだ。統辞法は、呈示されることなく作用するのである。

次の点であるが、マラルメは、詩の詩、すなわちメタポエムは存在しえないとはっきりと示しているということである。これがまさに例の「プティックス［ptyx］」の意味であり、何も名づけることのない名であって、「響き高らかな空虚の棄てられた置物」[18]なのである。おそらくプティックスは、詩が可能とするものの名であるのだろう。以前は不可能であった現前への到来を言語によって生じさせるのである。ただし、まさにこの名は一つの名ではなく、この名は名づけることがない。したがって、詩人（言語の〈主人〉）はこの偽の名を自分自身とともに死のなかに連れて行ってしまう。

なぜならば、〈主人〉は、〈無〉が光栄とするこの唯一の物と一緒に
冥府の河《ステイクス》へと涙を汲みに行ってしまったから。[19]

詩自体は、局所的に言語の無限を実行するものとして、詩にとって名づけえないもののままである。言語の潜勢力、すなわち詩は、その潜勢力を示す以外の務めをもたないのであるが、この潜勢力をありのままに名づけることに関しては無力なのである。

このことは、ランボーが自らの詩的試みを「狂乱」としてみなすときに言おうとしたことでも

ある。確かに、詩は「言い表せぬものを記す」のであり、あるいは「眩惑を定着させること」なのだ[20]。ただし、狂乱とは、詩が、この記述、この固定化の奥深くにある総体的な源泉を取り返し、名づけることもできるのだと信じることなのである。自らに固有の潜勢力を名づけることができない実働する思考としての詩は、いつまでたっても定立されないままなのである。このことは、ランボーからしてみれば、詩を詭弁へと結びつけることである。「私の魔術的な詭弁を言葉による幻覚によって説明しよう[21]」。

　そもそも作品の初めからランボーは、主観的に構成された詩のなかには無責任性が存在するのだと指摘していた。詩は、意志によらずに言語を貫く力のようなものなのである。「木片がヴァイオリンになったからといってどうしようもない[22]」、あるいは「銅がラッパとなって目を覚ましたとしても、それは銅のせいではないのだ[23]」。

　結局ランボーにとって、詩的思考はその思考自体を、その開花のうちに、その到来のうちに、名づけえないものとしてもつのだ。これは、歌あるいは現前に魔法をかけるシンフォニーとしての言語の無限の到来でもある。「ぼくは思考の開花に臨んでいるのだ。それを見つめ、それを聞くのだ。ぼくは楽弓を一度弾く。するとシンフォニーが奥深いところで動き始めるか、あるいは舞台の上に躍り出てくるのだ[24]」。

　数式素《マテーム》固有の名づけえないものは言語の整合性であり、他方で詩固有の名づけえないものは言語の潜勢力だと言うことができるだろう。

いずれにせよ哲学は、詩と数式素《マテーム》の二重の条件のもとに自らを位置づけることになる。これらのもつ真実性の潜勢力の側と同時に、これらの無力、名づけえないものの側に。

哲学は、真理によって結びつけられたものとしての存在と出来事に関する総体的な理論である。というのも、真理は、名だけを残して消え去る出来事の存在のかたわらで行なわれる作業だからだ。

哲学は次のことを認めるだろう。消滅するものをとどめようする出来事のあらゆる命名、出来事的な現前のあらゆる命名が、詩的本質であるということを。

哲学は次のことも認めるだろう。出来事へのどんな完全な忠実さも、何の根拠もない要請によって導かれる存在のかたわらで行なわれるどんな作業も、その範列《パラディグム》が数学的であるところの厳密さをもつはずであるし、途切れることのない制御の規律に従うはずであるということを。

だが、哲学は、整合性は数式素《マテーム》の名づけえないものであるということから、完全なる反省的な基礎を打ち立てることが不可能であることを認め、あらゆるシステムは一つの開始点、すなわち真なるものの力からの免算を含んでいることを考慮に入れるだろう。この点とは、本来的にどんな真理の潜勢力からも強制されることのない点である。

そして、言語のうちにある無限の潜勢力が詩の名づけえないものであるということから、哲学は、次のことを考慮に入れるだろう。一つの解釈がどんなに見事なものであっても、哲学がたどり着く意味は、意味への能力を根拠づけることは決してないということを。あるいはまた、真理は意味の意味を交付することは決してできないということを。

プラトンは詩を追放した。なぜなら彼は、詩的思考が思考の思考であるのは無理ではないかと疑ったからだ。私たちは詩を受け入れることができるだろう。なぜなら、詩のおかげで、思考の単独性が、この思考の思考に取って代わられうると想定せずに済むからだ。

数式素《マテーム》の整合性と詩の潜勢力のあいだで、これら二つの名づけえないもののあいだで、哲学は免算されるものをふさいでしまう名を制定することを断念する。このような意味で、詩のあとに、数式素《マテーム》のあとに、そしてそれらが課してくる思考可能な条件のもとにある哲学とは、諸思考の多が常に欠落した思考なのである。

しかしながら、哲学がそうであるのは、哲学が詩を判断せず、とりわけ、あれこれの詩人から拝借した例を使ったにしても、政治的な教訓を詩に授けようとしない限りにおいてである。これが最も頻繁に意味することであり、まさにそのような意味でプラトンは詩に与えられる哲学的教訓を理解していた。つまり、詩の神秘が消散することを要求するということであり、言語の潜勢力に前もって制限を設けるということなのだ。このことは結局、名づけえないものをこじ開け、近代詩を「プラトン化する」ことになる。そして、偉大なる詩人たちまでもがこのような意味でプラトン化することになる。その例を一つ挙げることにしよう。

第3章　フランスの哲学者がポーランドの詩人に応答する

数年前、社会主義国家が崩壊し始めたとき、一人の詩人が東欧からやって来た。真の詩人である。母国の人々に認められた者である。北欧の中立性による保証のもとで毎年世界の〈偉大な作家〉に対して荘厳に贈られる賞によって認められた者である。

この詩人は私たちに親愛に満ちた教訓を与えようとした。では「私たち」とは誰か？　それは、最新の詩人たちと言語的なつながりのなかにある西欧の人々、特に、フランスの者たちである。チェスワフ・ミウォシュ(1)は次のように私たちに言った。マラルメ以来、私たち、そして私たちと一緒にある東欧は、希望なき晦渋さのなかに閉じ込められていると。私たちは詩の源泉を枯らしてしまった。哲学者の抽象化は詩の領域を凍らせてしまうかのようだと。そして、己の深い苦悩で武装し、己の生き生きとした言葉《パロール》を保持する東欧は、私たちに、あらゆる人々に歌われた詩の道を取り戻させてくれるのだと。

この偉大なポーランドの詩人は私たちに次のようにも言った。西欧の詩は閉鎖と不透明さに屈してしまった。それらはもともと主観性の過剰さだったのであり、世界と事物の忘却である。詩は、そこにあるものの遠慮のない豊かさに捧げられた知識をとどめ、提供するべきなのだと。

自分の気持ちを示そうと私はこの短い三幕を作った。私はこれを東西南北すべての方角に捧げる。

(a) 晦渋さ

マラルメは晦渋な詩人なのだろうか? 詩が難解な外見をもっていることを否定することはもちろんできない。しかし、この謎は、その操作の自主的な共有でなければ、いったい何を私たちに促しているのだろうか?

重要なのは次のように考えることである。詩は描写ではないし、表現でもない。それは、世界の広がりに感銘する絵画でもない。詩は一つの操作である。詩は、世界が諸事物を収集したもののように現われるわけではないということを私たちに教えてくれる。世界は思考に対立するもののではない。世界は――詩の操作にとって――、その現前が客観性と比べてより本質的なものであるところのものなのだ。

現前を思考するとき、詩は、捕獲という遠回しな操作を準備しなければならない。この遠回しになされるという性格のみが、見かけと意見《オピニオン》というごまかしを構成する諸事物の外面を解体するのだ。詩の手続きが遠回しであるということは、この手続きによって把握されることよりもむしろこの手続きのなかに入り込めと要請することなのである。

マラルメが、「暗示的であり決して直接的でない」言葉でもってとりかかってほしいと要求するとき、問題となっているのは、彼が「純粋な観念」と名づける現前が出来するための脱客観化のための命令なのである。マラルメは次のように書いている。「ある事物の〈観念〉の瞬間とはしたがって、それが己自身のなかに純粋に現前するか、その現前の純粋さに対する思索の瞬間なのだ」[2]。詩は、対象がその現前の純粋さのうちに溶解することに集中するのであり、詩とはこの溶解の瞬間を構成することなのだ。我々が「晦渋さ」と名づけたものは、詩の瞬間性でしかないのであり、すなわち謎が指し示す遠回りなやり方でしか到達することができない瞬間性である。読者は、現前の瞬間的な点に達するために、謎のなかに入り込まなければならない。でなければ詩は作動しないのである。

本当のところ、晦渋さについて語ることができるのは、秘密あるいは神秘の学があり、そして、それを理解するために解釈の鍵を必要とするときだけである。マラルメの詩は、解釈することを要求するものではなく、それについての鍵は全く存在しない。詩は、その操作のなかに入り込むことを求めてくるのであり、謎とはこの要求そのものなのである。

ルールは単純である。詩のなかに入り込むことである。ただし、それが何を語っているのか知ろうとするためではなく、そこで何が起きているのかを思考するためである。詩とは一つの操作なのだから、それは一つの出来事でもあるのだ。詩は生じる＝場をもつ〔a lieu〕のである。表面上の謎はこの生起を指し示しているのであり、言語における生起を私たちに提供するのである。起きていることを詩的なものにするポエジー〔poésie〕に対して、それが起きている場であり、思考の一つの通り道である詩〔poème〕を私は進んで対立させたい。

思考のこの通り道とは、詩に内在するものであり、マラルメはこのことを「転位[3]〔transposition〕」と呼ぶ。

転位は一つの消滅を組織する。詩人の消滅である。「純粋な作品は、詩人の語り手としての消滅を引き起こす[4]」。ついでに指摘しておくならば、これこれの詩は主観的であると言うことがどれほど不正確であることか。マラルメは逆を望む。詩の主体の徹底的な匿名性である。

転位は、言語のなかに、事物ではなく、一つの〈観念〉を生み出す。詩は、「抽象化の沈黙の飛翔[5]」なのである。「飛翔」は感覚的な動きを示しており、主観的などんなおしゃべりも排除されることから「沈黙」であり、「抽象化」とは、最後に純粋な概念が、すなわち現前の観念が生じるということなのだ。この思考を象徴するものとして、〈星座〉、〈白鳥〉、〈バラ〉あるいは

〈墓〉があるだろう。

つまり、転位とは、詩人の声の消滅と純粋な概念のあいだに、操作そのもの、すなわち転位、意味、を配置することなのであり、これらは、自らが要請するところの謎という衣服をまといつつ独立した形で作用する。あるいは、マラルメが言うように、「隠されていた意味が動き、一斉に何枚もの紙面を意のままにする」[6]のである。

「晦渋さ」は次のようなことを示すのにはよくない語である。つまり、意味は、詩の運動のなか、すなわち詩の配置のなかで捉えられるのであって、それが前提とする参照項のなかにおいてではないということ。そして、この運動は主体の欠如と対象の消散のあいだで生じているのであって、この運動が生み出すのは、一つの〈観念〉なのであるということだ。

非難として扱われてしまっている「晦渋さ」とは、私たちの時代において精神的に理解不能であることを示す合言葉なのだ。この合言葉は一つの重要な新しさを覆い隠してしまう。それは、詩が、主体のもつテーマ、そして対象のもつテーマのどちらにも無関心であるということである。詩における真の関係とは、主体のものではない思考と、対象を越え出る現前のあいだに打ち立てられるのだ。

詩の表面にある謎に関して言うと、この謎は、詩の操作のなかに入り込ませようと私たちの欲望をむしろ誘発するものであるはずなのだ。もし私たちがこの欲望において譲歩してしまうなら、もし詩句の難解な煌めきが私たちの意気をくじくのなら、それは、私たちのなかにあるもう一つの怪しげな欲求のなすがままにさせているからである。その欲求とは、マラルメが言うには、「この時だとせかされた露天商人のように、平然と前面に物をひけらかす(7)」欲求である。

(b) 詩は誰に向けられるのか?

詩は模範的にすべての人に宛てられている。数学がすべての人に宛てられているのと一緒である。まさに、詩も数式素《マテーム》も誰も特別扱いしないということによって、それらは、言語の二つの先端で、最も純粋な普遍性を体現しているのである。

そのときの様々な意見《オピニオン》に敏感な形式を保持しているということから、すべての人に向けられていると信じる扇動的な詩も存在しうるだろう。そして、堕落した数学も存在しうる。商売と技術の好機のために利用できるからである。しかし、これらは狭く捉えられた形象であり、人々――宛先である人々――をその時々の状況に同調しているかどうかで規定している。もしこれらの人々を思考によって平等に規定づけるなら、そしてこのことが最も厳密な平等性の割り当てうる唯一の意味なのだが、そのときには、詩の操作と数学の演繹は、すべての人に向けられるものの範列《パラディグム》となる。

この平等な「すべての人」のことをマラルメは群衆と呼んでおり、例の未完成の〈書物〉はこの群衆をこそ宛先としている。

〈群衆〉は、現在が現前するための条件である。マラルメは、厳密に次のことを指摘している。彼の時代は現在ではないのだと。というのも平等の群衆が不在だからである。「〈現在〉はない。そう、現在は存在しないのだ。〈群衆〉が意思表示をしない限りは[8]」。

見ることになるだろうし、いまだに見なければいけないことなのだが、もし、今日、詩の資源に関して東欧と西欧のあいだに違いがあるのなら、それはもちろん苦悩ではなく、ライプチヒから北京まで、群衆がおそらく意思表示をするということにあるのだ。この意思表示、あるいは歴史的な数々の意思表示は、現在を構成し、おそらく、詩の諸条件を修正する。詩の操作は群衆の潜在的なものを出来事の命名のうちに捉えることができる。詩はそのとき普遍的な行動としての可能性なのである。

もし、悲しき八〇年代における西欧の場合のように、そしてマラルメの時代の場合のように、群衆が意思表示をしないのならば、そのとき詩は、マラルメが限定された行動と呼ぶものの形式においてのみ可能である。

限定された行動は、少しも変化を被ることがないので、詩の宛先は平等な群衆である。しかし、この宛先の出発点は、出来事ではなくその欠如である。つまり群衆のなかで表明される出来事の惹起ではなく、その痛み、その欠如を詩はその星座を出現させる素材とする。詩人は、貧しい状況のなかで、偉大なものを捧げるための劇を何から作り上げるか選択しなければならない。彼の最も内密に行われた離脱、最も無関心な場、最も短い喜びである限定された行動は、〈観念〉を先取りするために演劇の責任を請け負うことを詩人に要求する。あるいは、マラルメの見事な表現によれば、「作家は、自分の痛み、すなわち自分がかわいがってきたドラゴンから、あるいは一つの歓喜から、テクストにおいて、精神的な道化を買って出るべきなのだ(9)」。

もし今日、おそらくだが、東欧と西欧のあいだで違いがあるとしたら、常にそして至るところで権利上〈群衆〉であるところの詩の宛先は、確かに下流ではないのである。それは上流なのだ。おそらく東欧では普遍的行動が許され、西欧では今のところ限定された行動に制限されている詩の諸条件においてそうなのである。これらの政治的予言が確実になると想定する限り、私がミウォシュに譲るのはまさにこのことなのである。断言できるわけではないのだが。

この区別は〈観念〉よりもその素材に影響を与える。この区別は、詩の操作よりも、これらの操作が機能させる言語の諸次元を切り離してしまう。あるいは、ミシェル・ドゥギーのカテゴリーを使うなら、詩のなかで、このことはあのことのようだと言えるものが何であるのかを知ることが問題なのだ。この「ようだ」を実践する場、そこから純粋な概念が生まれるのだが、この場は西欧では限定されているのであり、東欧では一般的な可能性としてあるのだ。

詩におけるあらゆる差異というのは、諸言語のあいだの違いとしてというよりも、言語のなかの、様々なときに詩の操作が扱うことのできるいくつもの使用域のあいだにある違いとして打ち立てられるのである。

（c）パウル・ツェラン

一九二〇年チェルニウツィーに生まれたこのパウル・アンチェルは東欧に属するのだろうか？　ジゼル・ド・レストランジュと結婚し、一九四八年から住んでいたパリで一九七〇年に死んだパウル・ツェランは西欧に属するのだろうか？　ドイツ語で書くこの詩人は中央ヨーロッパに属するのだろうか？　さらに言えば、このユダヤ人は、他のどこか、あるいはあらゆるところに属するのだろうか？

かつてヘルダーリンが予言した詩の一時代、マラルメとランボーとともに始まり、間違いなくトラークル、ペソアそしてマンデリシュタームを含むこの時代の最後の人と思われるこの詩人は私たちに何と言って来るだろうか。

ツェランは私たちにまず次のことを言う。私たちの時代にとって思考の意味とは、開かれた空間、〈全体〉を捉えることから生じうるものではないと。私たちの時代は方向を見失っており、普遍的な名をもっていない。（私たちが限定された行動のテーマを再び見出すところの）詩は、狭い通路へと折り畳まれなければならない。

しかし、詩は、時間の狭いなかを通過するために、壊れやすくて不確かな何らかのものによってこの狭さにしるしをつけてこじ開けていかなければならない。私たちの時代は、一つの〈観念〉、一つの意味、一つの現前が出来するために、行為によってかいま見られる狭さと、しるしの危うげなもろさが、詩の操作のなかで結合されることを想定しているのだ。ツェランに耳を傾けよう。マルティーヌ・ブローダの美しい翻訳で。

　一つの意味が突然生じもするのだ
　より狭い林道を通って、
　私たちによって打ち立てられたなかで
　最も致命的なしるしが
　こじ開けていくその道を通って。(10)

それからツェランは私たちに言う。道がどんなに狭くて不確かだとしても、私たちはそのことに関して二つのことを知っているのだと。
——一つ目、現代的な詭弁術による数々の表明とは逆に、一つの固定された点があるということ。すべてが言語の働きの変化だったり、様々な状況の非物質的な変異だったりするわけではない。存在と真理は、〈全体〉へのあらゆる作用に開かれてさえあるのであって、消え去ってはいない。まさに〈全体〉がその無を提示するところに、そこに一時的に根を下ろしている存在と真理が見出されることになる。

——二つ目、私たちは、自分たちが世界のつながりに囚われているわけではないということを知っているということ。より本質的に言えば、つながりあるいは関係の理念は人を欺くものなのだ。真理とは、つながりを脱することであり、このほどきへと、つながりがほどかれる局所的な点へと詩は作動するのであり、それは現前の方向へと向かう。

ツェランが私たちに言うことを聞こう。固定しているもの、とどまり、続くもの、ほどきへと至らしてくれるものを聞こう。

ここに根を下ろす、葦は、明日
まだしっかりと立っているだろう、きみの魂の意のままに、
結ばれていないもののなかにきみが駆り立てられるところはどこにでも。(11)

ツェランは、ほどかれた世界という帰結において私たちにようやく教えてくれる。真理が寄りかかるものは整合性ではなく、非整合性であると。正しい判断を表明するのではなく、識別できないもののささやきを生み出すことが問題なのだと。

この識別できないもののささやきを生み出すことにおいて決定的なのは、書き込み、エクリチュール、あるいは、ジャン＝クロード・ミルネールによる貴重なカテゴリーを踏襲するなら、文

字なのである。文字だけが、識別するのではなく、実行するのである。数種類の文字があると付け加えよう。数式素《マテーム》の小さな文字があるとすれば、詩の「文字のなかにある神秘」もあるのだし、政治が文字通りに〔à la lettre〕捉えるものも、愛の手紙〔lettres〕もあるのだ。

文字はすべての人に宛てられている。知は事物を識別し、分類を義務づける。識別できないもののささやきを引き受ける文字は、分類なく送られる。

どんな主体も文字によって横断されうるし、どんな主体も横断的に文字になる。これが思考における自由についての私の定義であり、この自由は平等である。つまり、数式素《マテーム》の小さな文字、詩の神秘的な文字、政治による文字通りの物事の把握、そして愛の手紙、これらすべてによって思考が横断的に文字になるなら、思考は自由なのである。

詩という文字のなかの神秘に対して自由であるためには、読者が詩の操作のなかに入り込む、すなわち文字に沿ってそこに入り込むだけで充分なのである。読者自身の横断的文字化を望まなければならない。

非整合性、識別できないもの、文字、そして願望のこの結び目のことをツェランは次のように名づけている。

非整合のものに

寄りかかることは
深淵のなか
指ではじくこと、
殴り書きのノートのなかで
世界はざわめき始める、そのことは
君しだい。[12]

詩はここで思考のための高度な指示を表明している。普遍的に宛てられた文字があらゆる整合性を中断し、世界の真理のざわめきが出来する。

私たちは互いに詩的に言い合うことができる。「そのことは君しだい」と。詩の操作に呼び出された君と私、その私たちは識別できないもののささやきを聞く。

しかし、どのようにして詩は認識されるのだろうか。マラルメが強調していることだが、私たちのもつ可能性とは次のようなものである。それは西欧にも東欧にも属すことのない究極の言葉である。「時代は、不可避的に、詩人の存在を知っている[13]」。

ただし認めなければならない。しばしば私たちはこの可能性に関する思考を駆り立てることにぐずぐずしがちであることを。ミウォシュもおそらくこの点に触れていた。どの言語も見事な詩篇のなかで己の潜勢力を取り戻す。自分たちの帝国的な運命を長いあいだ確信していた私たちフランス人は、このことを発見するのに、ときには数年、あるいは数世紀かけてしまったというのは認めざるをえない事実なのである。

それぞれの固有語の多様性のうちにある詩の普遍性にオマージュを捧げるために、私は今、自分が、ポルトガルの一詩人の、そしてさらに過去に遡って、アラブの一詩人の途方もない重要性をどのようにして理解するに至ったのかを述べようと思う。これらの詩人からも私たちの思考が、私たちの哲学が構成されることを示したいと思う。

第4章　一つの哲学的使命――ペソアの同時代人であること

少々大雑把な言い方をすれば、一九三五年に亡くなったペソアがフランスでようやく知られるようになったのは、その死後五十年経ってからのことである。このひどい遅れに私も巻き込まれてしまっている。このように言うのも、とりわけ哲学の可能性の条件として彼のことを考えるならば、この世紀の決定的な詩人の一人が問題となるからである。

問いはまさに次のように立てられる。ここ最後の十年のものも含めて、今世紀の哲学は、ペソアの詩的試みの条件のもとに身を置くことができたのか、身を置くすべをもっていたのかと。ハイデガーは自らの思索の場を、ヘルダーリン、リルケあるいはトラークルの思考の制約のもとに置こうと実際に試みた。ラクー＝ラバルトはハイデガー的な試みの再検討を行うことで、ヘルダーリンがその賭け金となりパウル・ツェランがその決定的な実演者となるところの再審に関わった。私自身、哲学がマラルメの詩的操作とついに同時代になることを願った。だがペソアは？　例えばジョゼ・ジル(1)は、ペソアの作品を迎え入れ、支えることのできる哲学素を作り出そうとしたというわけではないが、少なくとも一つの仮説を確認しようと努めた。それは、作品――とりわけカンポスの作品――とドゥルーズのいくつかの哲学的命題のあいだに適合性があるとする仮説である。形而上学的問いの観点からペソアのポエジー全体を評価しようとした者として、私はジュディット・バルソ(2)しか知らない。しかし、彼女は、ポエジーそのものの側からこの評価を進めたのであり、哲学の諸命題を再編することに直接内在した動きのなかで行なったのではない。したがって哲学はペソアの条件のもとに辿り着いていない、いまだいないと結論づけなければならない。哲学はいまだペソアの高みを思考していないのだ。

もちろん次のように問われるだろう。なぜ哲学はそのようにする必要があるのかと。私たちがポルトガルの詩人のなかに認めるこの「高み」とは何なのか？　哲学はここから推し量られるべきだという使命を課してくるこの「高み」とは？　私たちはそれについて、近代性《モデルニテ》というカテゴリーを含む回り道をすることで答えるだろう。ペソアによって開かれた特異な思考の線は、哲学的近代性《モデルニテ》によって確立された形象のどれもその緊張を維持するのに適さないようなものであると私たちは主張するだろう。

哲学的近代性《モデルニテ》の一時的な定義として、ドゥルーズによって引き受けられたニーチェのスローガンを挙げよう。プラトン主義の反転である。この世紀のあらゆる努力というのは「プラトンという病から治る」ことであったとニーチェとともに言おう。

このスローガンが、現代哲学の雑多な諸流派を一つに収束させようとしているのは疑いない。反プラトン主義は厳密な意味で私たちの時代の共通理解なのである。

これはまず、生の哲学、あるいは、ニーチェ自身からベルクソンを通ってドゥルーズにまで至る、潜在的なるものによる潜勢力の哲学を巡る思考のラインにおいてその中心を占めるものである。これらの思索者にとって概念の超越的観念性は、生の創造的内在性に抗して導かれるものなのだ。真なるものの永遠性はうんざりする虚構であり、各々の存在者を、それら自らに固有の力強い差異化によって可能とするものから分け隔ててしまうのである。

しかし、反プラトン主義は、対立する流派においても非常に活発である。それは、文法哲学や言語哲学の流派といった、ヴィトゲンシュタイン、カルナップあるいはクワインの名によって印づけられているこの非常に幅広い分析装置によるものである。この潮流にとって、様々な観念性が実質的に存在し、そしてあらゆる知の原則に知的直観が必要であるというプラトン的想定は純粋な無-意味なのである。というのも、一般的な「ある」は、感覚的に与えられたもの（経験主義的次元）と、これを、言語の構造としての主体なき真なる超越論的な操作子によって組織化すること（論理的次元）によってのみ構成されるからである。

一方で、ハイデガーと彼を拠り所とする解釈学の潮流全体は、存在を思考する上で〈観念〉の最初の切り込みをもち込むこのプラトン的操作のなかに、存在の忘却の始まり、形而上学における最終的に虚無的《ニヒル》なものとしてあるものの発端を見てとる。というのも、〈観念〉はすでに、数学的悟性によって整えられ理性化された存在者の技術的な優位によって、存在の意味の開けを覆ってしまうことだからである。

正統派のマルクス主義者は、彼ら自身プラトンを評価することは全くなく、今は亡きソビエト連邦の科学アカデミーが編纂した辞書は、プラトンを資本家による奴隷体制のイデオローグだとご親切にも扱っている。プラトンは彼らにとって、理想主義的な傾向をもった哲学の元祖なのであって、彼らは、経験により敏感で、政治社会に対する実践的な考証に積極的なアリストテレスの方をはるかに好む。

しかし、七〇年―八〇年代に闘志を燃やした反マルクス主義者たち、民主主義的そして倫理的な政治哲学の信奉者たち、グリュックスマンのような「ヌーヴォー・フィロゾフ」たちは、哲学‐王による専制的な仲裁を行うことによって、〈善〉の超越性が下す命令に民主主義的なアナーキーを従わせようとするプラトンに、全体主義的な師‐思想家というタイプそのものを見てとった。

つまり、哲学的近代性《モデルニテ》がその指標を探している何らかの方向において、我々はそこに「プラトンの転覆」によって必然的に生じた傷跡をこれほどまでに見出してしまうのである。

このときペソアに関する私たちの問いは次のようなものとなる。様々に扱われるプラトン主義は、ペソアの詩作品においてどうなのであろうか？　あるいは、より正確に言うならば、ペソアのなかで、思考としてのポエジーの組織化はプラトン主義の転覆という意味で近代的なのだろうか？

ペソアのポエジーがもつ根本的な独自性は、それが、一人ではなく四人の詩人による全作品集を提示してくることにあることを思い起こそう。これが例の異名性という装置である。カエイロ、カンポス、レイス、そして登場人物としてのペソアという名で四つに分かれた詩作品を私たちは手にするのだ。それらは、同じ手によるものにもかかわらず、主なモチーフと言語的関与に関してはかなり異なっており、それぞれがそれ自体で一つの完成した芸術的布置を構成している。

そうすると、詩的異名性は反プラトン主義の一つの特異な屈折であり、そのような意味でこの異名性は、私たちの近代性《モデルニテ》の性質を帯びていると言われることになるのだろうか？

私たちの答えは否定的なものであろう。もしペソアが、哲学に対する特異な挑戦を体現するなら、あるいはもし、彼の近代性《モデルニテ》がいまだ私たちに先んじており、ある意味で未だに開拓されていないのなら、それは彼の思考－詩がプラトン的でも反プラトン主義的でもないところに至る道を開くからなのである。ペソアは、プラトン主義の転覆という全員一致の指令から固有な形で免算された思考の場を詩的に定義する。そのとき、哲学にその真価を測る出番はないのだ。

ただし、一つ目の検討によって次のことが明らかになるのではないだろうか。それは、ペソアが今世紀の反プラトン主義のあらゆる潮流に対して、たとえ彼がこれらを通過していたりあるいは先取りしていたりしても、それらに対してむしろ横断的であるということだ。

これはジルの仮説を認めることになるのだが、異名のカンポスにおいて、とりわけ壮大なオードのなかに、荒れ狂った生気論の痕跡を見出すことができる。感覚の高まりは詩的探求の主要な手法のように思われ、多様な形に分断された身体の提示は欲望と本能の潜在的な同一性を喚起させる。カンポスの素晴らしい考えとは、機械論と生の飛躍《エラン・ヴィタル》のあいだの古典的な対立が完全に相対的なものであるということを示していることでもある。カンポスは近代的機械論を唱える大都市の詩人であり、または、創造の装置や自然な類似《アナロジー》として捉えられた商業活動、銀行活動、工場活動の詩人である。ドゥルーズよりずっと前に、彼は、欲望のなかには一種の機械的な一義性があると考えた。詩はこの一義性のエネルギーを捕まえなければいけない。昇華も理想化することもなく、さらに、両義的な曖昧さのなかに分散させることもなく、このエネルギーの流れと中断を存在のある種の激高のなかで把握しなければならないのである。

結局、思考の言語的運動感覚としての詩の選択は、すでに内在的に反プラトン主義的なのであろうか？　というのも、ペソアはそのように詩を使用するのだが、彼は、観念的弁証法の明瞭さとは相容れないように思われる緩んだ、あるいは裏返された論理の手続きのなかに詩を導入するからなのだ。ヤコブソンが非常に美しい論文で示したように、このような形での撞着語の体系的な使用は述語を付与するどんなバランスも狂わせてしまう。もし、おおよそどんな言葉でも、詩の強い一貫性のなかでおおよそどんな述語も受け入れられるのなら、とりわけ、それが影響の及ぼす言葉とのあいだに反‐適合的な関係しかもつことのできないような述語を受け入れられるのなら、我々は〈観念〉にどのようにして至るのだろうか？　同様に、ペソアは、否定をほぼ迷路のように使用することの発明者であり、これが詩句に沿って配置されるので、我々は否定された言葉を確信をもって固定することが決してできないのである。マラルメにおける否定の厳密に弁証法的な使用とは全く逆に、浮動する否定があるとも言えるのであり、これは、詩のなかに、肯定と否定のあいだの絶え間ない両義性を、あるいはむしろ、肯定的なためらいとしてはっきりと認識できるものを浸透させるのである。これは最終的に、存在のうちにある潜勢力の最も輝かしい顕示が、主体による最も執拗な撤回によって浸食されることを可能にする。ペソアはこのようにして非‐矛盾の原則を詩的に転覆させようとするのだ。しかし、とりわけペソアが登場人物である詩において、彼は排中律を拒否してもいる。こうして詩の道程は斜めを行く。詩が扱うのは、雨の帳《とばり》でも大聖堂でもないのだ。裸のものでもないし、その反映でもない。それを光のなかで直接見ることでもないし、窓の不透明さを通して見ることでもないのである。そのとき詩は、この「〜でもない〜でもない」を作り出すために、そしてこれは、はい《ウィ》、いいえ《ノン》という型によるあらゆる対立が逃してしまうさらに別のものであると示唆するために、そこにあるのである。

古典的でない論理学、逃げゆく否定、存在の斜め線、述語との不分離性、これらを発明したこの詩人はどのようにしたらプラトン主義者であるのだろうか？

しかも、次のようなことも主張されるのではないだろうか？　（彼が言及することはない）ヴィトゲンシュタインと同時期に、あるいはほぼ同時期に、ペソアは思考と言語ゲームのあいだにある同一化の最も根源的な形式を提示しているのだと。というのも、異名性とは何なのかと問えるからだ。ただし、その物質性が計画や〈観念〉の秩序に属するものではないということを決して忘れてはならない。その物質性はエクリチュールのなかに、諸々の詩篇がもつ実質的な多様性のなかに委ねられているのだ。ジュディット・バルソが言うように、異名性はまず、詩人のなかにではなく、詩のなかに存在する。したがって、不釣り合いな詩的ゲームを、それらゲームの固有の規則と、それらがもつ還元不可能な内在的一貫性をもって存在させることが問題となるのだ。そしてこれらの規則は、それ自体借りられたコードであり、したがって異名性の働きによるポストモダン的な構成のようなものがあるのだと主張されうるだろう。カエイロは、ボードレールがすでに望んだような、詩と散文のあいだを行き来する作業の達成ではないだろうか？　カンポスのオードのなかには、ある種の偽のホイットマンのようなものが、レイスのオードのなかには、建築家ボフィルの列柱のなかのように容認された偽の古代があるのだ。この還元不可能なゲームとまやかしのミメーシスの結合は反プラトン主義の極みではないだろうか？

さらにペソアは、ハイデガーのようにソクラテス以前の方へ歩もうとする。カエイロとパルメニデスの類似は疑いようのないものだ。というのも、カエイロが詩に対する義務として定めるものとして、思考の主観的なあらゆる組織化以前にある存在の同一性を再現するというものがあるからだ。カエイロの詩の一つに見出されるスローガンに次のようなものがある。「思考の廊下に寄りかからない(3)」。「存在の放任〔laisser-être〕」と同等であり、主観性のデカルト的モチーフに対するハイデガーの批判に全く比することのできるものだ。トートロジーの機能は（一本の木は一本の木であり、一本の木でしかない等）、〈もの〉の直接的到来を、その認知的把握に関する常に批判的あるいは否定的な諸仕様《プロトコル》を作成することなく、詩化することなのである。これこそが、カエイロが非‐思考の形而上学と呼ぶものであり、思考は存在以外の何ものでもないとするパルメニデスの命題と実のところとても近いのである。カエイロは、知るための媒介として作用するプラトン的観念に反する方へ己のあらゆるポエジーを導くとも言えるだろう。

そして最後に言えるのは、たとえペソアが少なくとも社会主義者やマルクス主義者ではないというのが本当だとしても、彼のポエジーが観念化に対する批判的潜勢力を示しているというのも本当であるということだ。この批判はカエイロにおいてははっきりしている。彼は、空にある月のなかに空にある月以外のものを見る者を「病的な詩人」として揶揄してやまないのである。しかし、私たちは、ペソアの作品全体における非常に特殊な詩的唯物論に敏感でなければならない。彼が驚くべきイメージの偉大な使い手であるとしても、この詩人は、最初の読解で、詩の言葉のほぼ乾いたようなある種の明瞭さをもつ者として認識されるのである。そもそもそうだからこそ彼は、例外とも言えるほどに抽象化を行なうことを詩的魅惑そのもののなかに組み込むことに成功しているのだ。詩は、彼が言うことをまさしくそのまま述べているだけでしかないと常に気がかりでいるペソアは、私たちにアウラなきポエジーを提示するのだと言えるだろう。この思考‐

詩の生成を追求すべきところは、決してその響き、その側音の震えのなかにではなく、文字の正確さのなかにおいてである。ペソアの詩は魅惑したり、暗示したりしようとするものではない。詩の構成がどんなに複雑であろうとも、詩はそれ自体において、凝縮され密度の高い、自らに固有の真理なのである。プラトンに抗してペソアは私たちに次のようなことを述べているように思われる。エクリチュールは、観念的な他処の、常に不完全で難解な想起ではないと。逆にエクリチュールとは、思考それ自体なのであり、思考のあるがままのものなのだと。その結果としてカエイロの唯物論的格言に次のようなものがある。「事物というのは、解釈の余地のないものである[4]」。このことはあらゆる異名性において一般化される。つまり、一篇の詩とは操作による物質的な一つのネットワークなのであり、決して解釈されるべきものではないのである。

ペソアはしたがって、反プラトン主義において完璧な詩人なのであろうか？　私は少しもそのような読み方をしない。というのも、今世紀の反プラトン主義的なあらゆる立場を詩人が辿ったことを示す様々なしるしは、プラトンとの対決がなされていること、そして、ペソアの創設的な意志が、われわれの世紀が鼻にかける文法的脱構築よりもプラトン主義にずっと近いということ、このどちらも隠すことはできないからである。この方向づけに関するいくつかの主要な証拠を示そう。

（1）プラトン主義的な精神であると認識させるほぼ確実なしるしとは、真なるものの秘密に属するものと存在の思考に関わるものにおける数学的な範列《パラデイグム》を促進させることである。しかも、ペソアは、存在の数学的な把握へと詩を秩序づける計画のようなものを明らかに自分に定めている。さらに、数学的真理と芸術的美の本質的な同一性を肯定しており、それは「ニュートンの二項式はミロのヴィーナスほどに美しい[5]」のである。そして、彼が、問題なのはほとんどの人がこの同一性に関する知識をもたないということだと言い足すとき、彼は、このプラトン主義的な本質的教育のなかに詩を差し込んでいるのである。無知な思考を、真なるものと美のあいだの存在論的相互性に関する内在的確実性へと導くのである。

　さらにそこから、ペソアの詩の思考に関する計画を次のように説明することができる。つまり、近代的形而上学とは何かである。たとえこの計画が、「形而上学なき形而上学」というジュディット・バルソがその非常に繊細な迂回を調べ上げたような逆説的な形式をまとうとしても。だが、結局、ソクラテス以前の哲学者と揉めつつも、プラトン自身も、メタ－自然学《フィジック》から、つまり自然学または自然の優位から免算された形而上学《メタフィジック》を構築することを欲していなかっただろうか？

　ペソアの統辞法とはこのような計画の道具であるのだと主張しよう。というのも、この詩人には、イメージやメタファーの下にあるかのように、恒常的な統辞法の機械化が見受けられるからであり、その複雑さは、感覚的な支配と自然な心の高ぶりが至高のものになり続けるのを禁止するのだ。ともかくこの点に関してペソアはマラルメに似ている。しばしば起きることとして、文が二度目に読まれるとき再構築される必要があるのだが、それは〈観念〉が見せかけのイメージを横切り、超越するためなのである。なぜなら、言語がたとえどんなに多様で驚くべきもので暗示的なものであっても、ペソアはこの言語に、隠れた正確さを備えつけようとするからだ。私たちはこれを代数学的であるとはっきりと言うことができるし、この点に関して、プラトンの対話篇における、個別の魅惑、恒常的な文学的誘惑、そして仮借ない論法の硬度という、これら三つの調和と比較することができるのだ。

（2）さらにプラトン的だと思われるのは、可視的なものに訴えた存在論的な原形的基盤と名づけることのできるものがあるからである。この可視的なものへの訴えは次のようなことを私たちに知らせてくる。つまり、詩において問題となるのは、結局、感覚的な様々な単独性ではなく、これら単独性の典型、これらの存在‐典型であるのだ。この点は、カンポス（と世紀全体）における偉大な諸詩篇の一つである『海のオード』の冒頭において壮大な仕方で展開されている。実際に現にある波止場がそれは本質的に〈偉大な波止場〉であると宣言されるときである。しかし、この点はあらゆる異名性のなかに偏在しているのであり、「半‐異名」のベルナルド・ソアレスの散文の書物にも見受けられる。今やよく知られている『不穏の書』である。そこでは、雨、機械、木、影、通りがかりの女性が多岐に渡るやり方で詩的なものにされているのだが、それは、〈雨〉、〈機械〉、〈木〉、〈影〉、〈通りがかりの女性〉という一定の方向性においてなされる。タバコ屋の店主の笑いでさえ、カンポスのもう一つの有名な詩の終わりにみられる永遠の〈笑い〉に向かうなかでしか生じない。そして詩の潜勢力とは、この方向性を、その起源であるところの現前、場合によっては極めて小さな現前から分け隔てるようなことは決してしないということなのだ。〈観念〉は事物から切り離されない。それは超越的ではない。だが、〈観念〉は、アリストテレスにとってそうであるように、物質を規定し秩序づける形式でもない。詩が表明するのは、事物はその〈観念〉と同一であるということである。だからこそ可視的なものの命名は、諸存在の典型からなる網目を辿っていくことで、統辞法を道しるべとしながら辿っていくことで成し遂げられるのである。まさしくプラトン的弁証法として、事物に関する思考と〈観念〉の直観が切り離されえない地点にまで私たちを導くのである。

(3)異名性そのものは、主観的なドラマではなく、思考の装置として捉えられる。それは一種の観念的な場を構成し、そこでの形象同士の相関関係と分離は、プラトンの『ソピステス』における「至高の諸様式」のあいだの関係を思わせる。カエイロを同の形象として見做すことができるが、そのとき我々は、カンポスが他《た》の形象として要請されるということを直ちに理解する。もし、自身に対する捉えどころのない悲痛な他性として、寸断と多形性へ晒される者としてのカンポスが、不定形なもの、あるいは『ティマイオス』の「流動する原因」へと同一視されるなら、彼はレイスを形式の厳格な権威として要求することになる。もし、登場人物としてのペソアが、両義性、間隔、在るものでも無いものでもないものとして見做されるのなら、彼は、詩から最も厳密な一義性を要求するカエイロの弟子にはなるべきではない唯一の人として理解される。そしてもし、近代的前ソクラテス主義者であるカエイロが、有限の支配を引き受けるのなら、それはカンポスが、詩のエネルギーを無限へと逃すからである。以上のように、異名性は、知性によって把握される場の可能な一つのイメージなのであり、それは、思考固有の諸カテゴリーの交代という働きのなかで思考が構成されるということのイメージなのである。

（4）ペソアの政治的計画でさえ、プラトンが『国家』のなかで展開する計画と似ている。確かにペソアは、「メンサジェム」というタイトルで、ポルトガルの命運に捧げられた詩集を書き上げた。ただし、ここにある詩篇のなかに、ポルトガルの生活の状況に関する問いかけに見合ったプログラムも、政治哲学の一般的原理に関する検討も実際には問題になっていない。問題になっているのは、紋章の体系学から始められた観念的な再構築である。プラトンが、存在しないにもかかわらず定義された普遍的なギリシャの一つの都市の構成と正当性を観念的に定着させるように、ペソアもまた、特異（ポルトガルの歴史を紋章として引き取ることによって）であると同時に、普遍的な（「第五帝国」という名になりうる観念的な資格を明示することによって）ポルトガルというものがあるというはっきりとした観念を詩的に引き起こそうとする。そして、プラトンが一つの逃げ口（正しき都市の腐敗は、避けることができない。というのも、都市を基礎づける〈数〉を忘れてしまうことで、諸技芸の教育と比べて体操を民衆扇動的に優位に置いてしまうからだ）を指し示すことで、再構築の観念的な堅固さを和らげるように、ペソアもまた、隠された王が戻ってくるかどうか分からない不測性のもとにある己の国家的で詩的な観念の生成を保留することによって、一方では強固に構築された己の試み全体を霧と謎で包んでしまうのである。

以上のことから、ペソアにある種のプラトン主義が認められるという結論に至るべきなのだろうか？　ペソアを今世紀の反プラトン主義のなかに包摂してしまうべきだとも言えない。ペソアの近代性《モデルニテ》とは、プラトン主義と反プラトン主義の対立の妥当性を疑うことにある。思考－詩の任務とは、プラトン主義の緩和でも、それを逆転させることでもないのである。

そしてそれが、他の私たち、哲学者がいまだ完全に理解していないことである。それゆえ私たちは、ペソアの高みをいまだ思考できていないのだ。それは次のことを意味するだろう。感覚的なものと〈観念〉が共に存在することを認めること、しかし、〈一者〉の超越性に譲るものは何もないのだと。多様な単独性しかない、だが、経験主義に似たようなものは何も引き出すことはないと思考すること。

私たちがペソアを読むときに感じる、彼は自分自身で充足しているという非常に奇妙な気持ちを私たちはペソアに対するこの遅れに求めることができる。ペソアの本を開くとき、私たちは永遠にその虜になり続け、他の書物を読む必要はなく、すべてがそこにあるという確信をすぐにもってしまう。

もちろん、この確信の原因は異名性にあるとひとまず想像することはできる。一つの作品を書いたというよりもむしろ、ペソアは、総体としての文学、文学的布置を展開したのであり、そこに、あらゆる対立が、すなわち世紀の思考のあらゆる問題が書き込まれにやって来るのだ。その点において彼は、〈書物〉というマラルメによる計画を大きく凌駕した。というのも、この計画は、たとえ作者が匿名に至るほどにまで〈書物〉において不在であったとしても、それでもなお〈一者〉の至高性、作者の至高性を維持する弱さがあったからである。マラルメ的匿名性とは作者の超越性に捕らわれたままである。異名性（カエイロ、カンポス、レイス、登場人物としてのペソア、ソアレス）は匿名性に対立する。これらは〈一者〉も〈全体〉も望むことはなく、多の偶然性をまず初めに取り入れる。そのようにして、これら異名性は、〈書物〉よりも優れた形で一つの宇宙を形作る。現実にある宇宙は多で、偶然で、全体化できないものなのだから。

だが、さらにより深いところでペソアが私たちの心を奪うのは、哲学が、彼の近代性《モデルニテ》を全く汲みつくせていないからである。したがって、私たちがこの詩人を読み、この詩人を断ち切ることができないのは、私たちがそこに、いまだどのように従えばいいのか分からない一つの命令を発見するからである。それは、プラトンと反プラトンのあいだに、詩人が私たちのために開いてくれた間隔のなかに、多、虚空、無限に関する真の哲学が準備されている、そんな道を辿れという命令である。神々が決定的に離れてしまったこの世界の真価を肯定的に認める哲学である。

第5章　詩的弁証法——ラビード・ブン・ラビーアとマラルメ

私は比較文学をあまり信じていない。だが、偉大な諸詩篇の普遍性を私は信じている。翻訳という、常にほぼ災難とも言える近似値のなかで提供されているものであるとしても。そして「比較」はこの普遍性の一種の実験的な確認作業になりうるのだ。

私の比較はアラビア語で書かれた詩とフランス語で書かれた詩に関するものである。この比較は、私がアラビア語の詩を、遅くに、遅すぎるほどに、すでに述べた理由から発見して以来、私に課されたものである。この二つの詩は、思考における似たものを私に伝えてくるのだが、この似たものは、あまりに大きく隔てられていることによって、活気づけられていると同時に弱められてしまっているかのようである。

フランス語の詩はマラルメの『賽の一振り』である。思い出していただきたいのだが、この詩では、名も知れぬ海の上で、一人の年老いた〈師〉が賽を握っている己の手を錯乱気味に振る。だが、その賽を投げるのにあまりに長く躊躇しているためその動作が決定されることなく〈師〉は海に呑み込まれてしまう。そこでマラルメは言う。

> 何も、記憶すべき危機について　あるいは出来事は達成された　目指す結果は人間的に何もなく　起こりはしなかったようだ（通常の上昇は不在を流し）起こるための場の他には、下の方に何かしら波の音まるで虚ろな行為をぶしつけに撒き散らすためのように　そうでないとすればその虚偽によって消滅をこの海域に打ち立ててしまっていた　曖昧なるものの海域そこにあらゆる現実が溶け込んでいる[1]。

だが最後のページで空に一つの〈星座〉が生じる。それは、下の世界では決定されることが決してなかったものの天空に浮かぶ数のようである。

アラビア語の詩は、前イスラム期のものと言われる偉大なオードの一つであり、ラビード・ブン・ラビーアのものとされるムアッラカである[2]。私はこの詩をここではアンドレ・ミケルの翻訳で受け取ることにする。この詩も根源的な崩壊を確認することから生まれている。最初の詩行からこの詩は次のように言明する。「消え去った、一日の、そして常のための仮住まいが[3]」。この詩は、仮住まいに戻ってくる語り手が目の前にするのは砂漠の再来だけであるということから生じる。ここでも場の裸性は、そこをいっぱいにするはずであった現実的そして象徴的なあらゆる存在を呑み込んでしまったようである。「残存するものたち！　すべては逃げ去ってしまった！空っぽの、孤独な大地よ！」(4)と詩人は言う。あるいはまた「かつては満ちていた場、朝に放り出された、剥き出しの場、空しい溝、放置された麻(5)」と。

しかし、ここでは再構成できないほどの非常に繊細な弁証法、そこでは砂漠の動物がメタファーの中心的な役割を演じているところの弁証法によって、詩は、一族や一味の称揚へと向かい、最後には、冒頭の虚空が向けられていたものとして、選択する師と法の形象を出現させることになる。

集まった諸族が、我々の一人に任せるのがいつも見える、
その一人は自らの視界を切り取り、それを課す。
彼は部族の者たちに彼らの権利を保証する
分配するか、減らすか、増やすか、彼は選択する唯一の師だ。
これでよい、他のすべての者が情け深くなるよう励ます
この人は最も珍しい徳を刈り入れるのだ。(6)

そうすると、マラルメにおいては、師が一つの選択をする不可能性があるということになる。詩が述べるところによると「〈師〉はためらう、屍体さながらに　自ら保持する秘密から遠ざけられた片腕により、波浪の名のもとに偏執的な白髪老人として勝負を賭けるよりはむしろ」[7]。そして、この躊躇からこそ、場以外を除いて何も生じないという恐れが第一に、次に星による数が生じるのだ。

ラビード・ブン・ラビーアにとっては、剥き出しの場から我々は出発する。つまり不在から、砂漠的な消滅からである。そしてそこから一人の師を呼び出すための資源を汲み取るのである。その師の徳は正しい選択であり、すべての人によって受け入れられる決定である。

これらの詩篇は十三世紀という年月によって分け隔てられている。詩の文脈として、一方には、フランス帝国のブルジョワサロンがあり、もう片方には、アラビアの砂漠における高度な文明をもつ遊牧生活がある。これらの詩の言語は同じ祖先に属するものではなく、遠くさえある。隔たりは概念ではほぼ捉えられないものである。

だが、しかし！　マラルメにとって、師の難破のあとに予測できない形で生じる〈星座〉とは、マラルメが〈観念〉と呼ぶところのものの象徴あるいは真理であるとひとまず認めることにしよう。そして、詩人が言うように、人々に確かさを与え、すべての者の分け前を溢れさせて永続させ、「我々のために高くそびえた家を建て」[8]させることのできる正しき師の存在も認めよう。そう、そのような師は、正義と真理が問題となるとき人々が受け入れられるものなのだと認めよう。

そのとき私たちは、これら二つの詩篇どちらも、測ることのできない隔たりのなかで、そしてこの隔たりによって、一つの比類のない特異な問いを私たちに語りかけてくるのが分かる。つまりこういうことである。場、師、真理の関係とはいかなるものであるのか？ なぜ、正義あるいは真理と、それを引き受ける師の運命の正確な適合が述べられうるために、場は、場の生起でしかない不在の場、あるいは剥き出しの場でなければならないのか？

撤廃させられた仮住まいを前にした流浪の民の詩と、大西洋に賽を永遠に投げるという空想《シメール》を作り上げる西洋の教養人による詩は、これらの詩のあいだにある広大な隔たりを埋め、二つの詩に取り憑く問いにまで至る。つまり、真理の師は、そこに向けて、あるいはそこから出発して、真理があるところの場の欠如を通らなければならないのかという問いである。師は、宇宙の無関心という絶対的な報復に最大限近いところで詩を賭けなければならない。おそらく砂漠しかないところでしか、深淵しかないところでしか、彼は真理に対して詩的な機会を与えることができないのだ。何も生じず、何も生じないであろうところで。師は、詩の資源が消滅したと思われるところでまさに詩を賭けなければならないとも言えるだろう。ラビード・ブン・ラビーアのオードが並はずれた的確さで述べているのはそのことなのだ。実際そこでは、消えた仮住まいと「石の秘密にまで浸食したエクリチュール[9]」が比較されている。そこに、野営地の最後の痕跡と砂の上に書かれたテクストのあいだの直接的な照応が打ち立てられている。

野営地には水によって裸にされたデッサンが残っている、
筆が線を活気づけた書きもののように(10)。

詩人は、不在へ向けられた詩的な呼びかけは、実際にはその言語を見つけることはできないとまで言う。

不明瞭な言語で、耳の聞こえない永遠に
呼びかけることが何の役にたつのだろう(11)？

したがって、剥き出しの場と不在という試練は、同時に、テクストあるいは詩のありうる消去という試練でもあるということは完全に明らかなのである。雨と砂はすべてを溶かし、消し去るだろう。

しかし、非常に似た言葉使いで、マラルメは、「曖昧なるものの海域　そこにあらゆる現実が溶け込んでいる(12)」と言及し、師に関しては、「人間の直の難破、船はなく、どこであろうとも空しき跡(13)」を喚起している。

私たちにとって切り離せない問いとは次のように明確化されている。もし、場の欠如が言語の欠如と同じであるなら、師と真理という詩的番《つが》いをこの欠如に結び付ける逆説的な経験とはいったい何なのであろうか？

なるほど、アラビアのオードとフランスの詩は、この問いの二つのヴァージョン、あるいは二つの筋立てを私たちに提供する。

ラビード・ブン・ラビーアにとって、廃棄された仮住まいと無力な言語の砂漠的な経験は、師の復権へと、師の出現とも言えるものへと導く。経験は二つの時においてそこへと導く。まず、ノスタルジックな時であり、それは〈女〉の形象に支えられている。この形象は、不在と同時に、テクストのように砂と雨によって消されてしまう痕跡と釣り合う唯一の夢想である。

おまえのノスタルジーは去ってゆく女たちに再会する、
輿に乗って、木綿の内装に守られて、上でパタパタと鳴る
カーテン、陰に包まれた木の揺り籠の上の
細かな飾りを再び目にするのだ。(14)

次に、二つ目の時では、エネルギーの長きにわたる復元が、遊牧民が競争で使う動物である雌ラクダあるいは雌馬がこの二つと似た猛獣の狼とライオンのように喚起されることで行なわれる。まるで、喚起されたこのエネルギーから部族の紋章が作り出されるかのようだ。

この紋章の中心に師と正義がやって来る。思考の詩的歩みは、空虚から欲望するノスタルジー

へと、欲望から運動のエネルギーへと、エネルギーから紋章へと、そして紋章から師へと辿られていくのだ。始めにこの思考は、〈開かれ〉のなかにあらゆる事物の退隠を位置づけるのだが、思考はこの退隠自体を開いてしまう。なぜなら、その不在によって喚起された事物は、前例のない詩的エネルギーをもつのであり、師がこの解放されたエネルギーに印を押しに来るからである。このときの真理とは、欲望が消滅の不安に宿り、この不安を囲むときに、この欲望が引き立たせうるもののことである。

マラルメの主題は問いを別の形で構成する。虚空の場は難破の痕跡によって取り憑かれており、師は彼自身、半分ほどすでに呑み込まれている。オードのなかのように、師は不在に関心を寄せる証人ではなく、消滅に襲われているか、捕らわれているのである。すでに述べたように、師は賽を振ろうかどうか躊躇しているのであり、行為と非‐行為を等価なものとしている。そしてそのとき〈真理〉が、暗闇の空に書き込まれた観念的な賽の一振りのように現われるのだ。おそらく次のように言わねばならない。師も含めたあらゆるものの退隠がまず始めにあると。〈開かれ〉が到来するためには、退隠が、行動するかしないか、賽を投げるか投げないかがお互い等価な装置であるようなこととしてあらねばならないのだ。このことはまさに制御全体を破棄してしまうことを意味する。なぜならオードが模範的に述べているように、選択の唯一の支配者は師その人なのであるから。マラルメにとって、師の機能は選択と非‐選択を等価にすることなのである。そのとき彼は場の裸性を最後まで引き受ける。そして完全に匿名の真理が、砂漠と化した場の上に不意に生じるのである。
したがって、次のように考えることで要点をまとめることができるだろう。
（1）無の、不在の、砂漠のような場としての真理の場を横断するという条件でのみ可能な真理がある。あらゆる真理が、砂、雨、大洋、深淵といった無関心な場以外には何もないという危機に晒されている。
（2）詩を語る主体はこの試練あるいはこの危機に直面する主体である。
（3）この主体は、すべてが消滅したところに戻ってくる者として、この試練の証人か、廃棄からの一時的な生存者になりうる。
（4）もし彼が証人なら、彼は、言語に、虚空すなわち言語固有の不能性を出発点として、師の力強い形象を引き起こすまでに活発化するよう強いるだろう。このようにして主体は師になるのである。
（5）もし彼が生存者なら、行動と非－行動が決定不能なものとなるよう、あるいはそれ以上に彼のなかで存在が非－存在と厳密に同一であるようにしようと努めるだろう。そこで到来するのは匿名性、すなわち〈観念〉である。
（6）したがって、見たところ、場、師、真理のつながりに関する私たちの問いに対する可能な回答は二つある。
――虚空と不在の試練であるところの場が、郷愁的《ノスタルジック》かつ能動的に、真理を可能とする師に関する虚構を生み出すということの結果として真理が生じるということ。
——あるいは、空虚な場の匿名性のなかで師が消え、要するに、真理を在らしめるために自らを犠牲にしたということの結果として真理が生じるということ。

第一の場合において、場の虚空、不安の経験は、師と真理の結合を作り出す。

第二の場合において、場の虚空は師と真理の分離を作り出す。師は深淵のなかに消え、真理は絶対的に非個人的であるがゆえに、まるでこの消滅の上に出てくるかのように生じる。

二番目の道、それはマラルメの道であり、それがもつ力は、師のあらゆる特性から真理をまさに分離することである。精神分析のように話すならば、これは転移なき真理である。

だが、その真理は二つの弱点を含んでいる。

——一つは主体的な弱点である。なぜなら、問題となっているのは犠牲の教義だからである。師は結局のところキリスト教徒のままでいるのであり、真理が生じるために消えなければならない。しかし、犠牲の師は私たちに適っている者なのだろうか？

——もう一つは存在論的な弱点である。なぜなら、最終的に、存在の二つの舞台、存在の二つの領域があるからである。深海の中性的な大洋の場があり、そこでの師のふるまいは難破を生じさせる。それから、その上には、〈星座〉が生じる空がある。マラルメが言うには、そこは「おそらくある場所が彼方と合わさるほど遠い高度に」[15]ある。言い換えるならば、マラルメは、存在論的二元性と、真理のある種のプラトン的超越性を維持しているのだ。

ラビード・ブン・ラビーアの詩に関して言えば、哲学的な力と哲学的な弱点は全く違う形で分配し合う。

大きな力とは、内在性という原理を厳密に維持しているということである。紋章のちょうど中心に師を出現させるための資源は場の虚空から始まって詩的に構築される。それは、この「使い古されたエクリチュール」を、つまり「筆が線を活気づけた書きもの」を展開する仕方のようなものであり、詩人は、見捨てられた仮住まいに戻って来たときにこの経験をする。私たちは決して二番目の舞台を、存在の他の領域をもつことはないだろう。私たちは決して超越的な外部性をもつことはないだろう。詩が述べるところによれば、師でさえも「我々の一人」なのであり、彼は彼方にいないし、マラルメの〈星座〉ではないのである。

他方で、この師は犠牲的では全くないし、初期キリスト教徒でもない。逆に地上の性質から適切な範囲内で作り上げられている。彼は善良で寛大である。さらに彼は「自然の贈与を調整する[16]」。したがって彼はこの贈与の行為に一致しているのである。内在的な師であるからこそ、オードが生み出すこの師は、自然と法の節度ある調和に名を与えるのだ。

しかし、困難なことに、真理は師の形象に捕らわれたままなのであり、それから分離することができない。真理の幸福は師への服従と同等のことであり、それ以外にない。「至高の師の恩恵により幸福であれ[17]!」と詩が述べるようなことなのだ。だが、至高性に従って私たちに配分されるものによって我々は幸福になれるのだろうか？　ともかく、真理はここでは師への転移に結びつけられている。

私たちはここで問題の核心にたどり着く。私たちは、思考の二つの方向性のあいだで何らかの根源的な選択をするよう呼び出されているのだろうか？　一つ目の方向性は、真理と師を分離することによって超越性と犠牲を求めるものである。そこでは師を愛することなく真理を求めることができるのであろうが、この欲求は、地球の彼方に、死に指標づけられた場に書き込まれている。もう一つの方向性は私たちに犠牲も超越性も要求しない。だが、それは、真理と制御のあいだの避けがたい結合を条件にしてのことである。そこでは、地球から離れることなく、死に何も譲ることなく、真理を愛することができる。しかし、無条件に師を愛する必要があるだろう。

まさにこの選択、この選択の不可能性こそ、私が近代性《モデルニテ》と呼んでいるところのものなのである。私たちは、一方では科学の宇宙をもっている。それは科学の思考する特異性においてではなく、科学による金融的そして技術的な組織化の潜勢力においてである。この宇宙は、師の個人的なあらゆる形象から完全に分離した匿名の真理を配置する。ただし、現代の資本主義によって社会的に組織された真理は地球の犠牲を要求する。この真理は、諸意識の大多数にとって完全に異邦で外部のものであるのだ。各々はこの真理の効果を知っているが、誰もその源泉を支配していない。科学は、その資本主義的そして技術的組織化において超越的な潜勢力なのであり、これに時間と空間を捧げなければならないのである。

確かに、科学による金融的で技術的な組織化は現代の民主主義を伴っている。だが、現代の民主主義とは何だろうか？　それは単に、誰も師を愛する義務を負っていない、ということである。例えばシラクやジョスパンを愛することは私にとって義務ではない。実際誰も彼らのことが好きではないし、皆が彼らを揶揄するし、公然と嘲笑している。それこそが民主主義である。しかし他方で、私は、科学による資本主義的で技術的な組織化に完全に従わなくてはならない。市場と商品の諸法則、資本の循環の諸法則とは、人々にどんな展望ももたせず、どんな真の選択もさせない、非個人的な潜勢力である。ただ一つの政治、唯一の政治があるだけなのだ。マラルメにおける師のように、私は選択のあらゆる制御を犠牲にしなければならない。それは、科学的真理が、その技術的で資本主義的な社会化のなかでその超越的な行程を辿っていくためなのである。

他方で、科学的、資本主義的そして民主主義的なこの近代性《モデルニテ》を拒絶するところではどこでも、そのときには師がいるべきであり、彼を愛することが義務となる。そのことはマルクス主義と共産主義による偉大な試みの核心であった。この試みは科学の資本主義的組織化を打ち砕こうとした。それは、科学的真理が内在的で、すべての者によって制御され、大衆的な潜勢力のなかで分配されることを望んだのであった。それは、真理が完全に地上のものであり、選択の犠牲を要求しないよう望んだ。それは、人間が科学とその生産的な組織化を選ぶのであって、人間は科学の組織化によって選択され規定されないことを望んだ。共産主義は諸真理を集団で支配するという思想であった。しかし、そのとき至るところで起こったのは師の形象が生じたということである。

なぜなら、真理が制御ともはや分離されえなくなっていたからである。そして、最終的に、真理を愛し欲するということは、この師を愛し欲することとなった。もし彼を愛さなかったら、この愛の義務を思い起こさせるための恐怖政治があったのである。

私たちはいまだこの地点にいる。私たちは、こういうことが言えるならば、マラルメとムアッラカのあいだにいるのだ。一方には民主主義があり、私たちから師への愛を取り除いてくれるが、商品の諸法則という唯一の超越性へと私たちを従わせ、集団的運命のどんな制御も、政治的選択に関するどんな現実性も除去してしまう。他方で、内在的で意図的な集団的運命を、資本の自動性からの断絶を欲望することがある。だが、そのときテロリスト的独裁政治と師を愛することの義務が生じてしまう。

近代性《モデルニテ》、それは制御と真理のあいだの関係に関わることのために適切に選択をすることができないということである。真理は師から分離しているのだろうか？　それは民主主義である。だがそのとき真理は完全に曖昧なものとなり、技術的で資本主義的な組織化の超越的陰謀となるのだ。真理は師と結合するのだろうか？　だがそのとき、真理は、一種の内在的な恐怖政治、抗しがたい愛の転移、そして国家の警察的潜勢力と震える主体とが不動の結びつきを示すのである。どちらの場合でも消滅するのは選択の可能性である。師が匿名の潜勢力のために犠牲になろうとも、師が私たちに対して師への愛による犠牲を要求しようとも、そうなのである。

私が思うに、思考に一歩の後退が必要である。それは、マラルメと前イスラムのオードが共通してもっているもの、つまり、砂漠、大洋、剥き出しの場、虚空に向けての一歩である。私たちの時代では、師の形象を通ることなく、虚空の上に分節化されている真理を再構成しなくてはならないのだ。犠牲にされる師も召喚される師も通すことなく。

あるいはさらに言えば、選択と決定の制御という最初の形式のなかにあるのではない選択と決定の理論を打ち立てなければならないのだ。

その点は本質的である。本物の真理というのは、真理を選ぶことができるという条件のもとでのみ存在するのであり、それは確かなことなのだ。だからこそ哲学は常に真理と自由を結びつけてきたのである。ハイデガーは彼自身、真理の本質は自由以外の何ものでもないと言おうとした。明白なことである。

しかし、真理の選択は必然的に制御の形式のなかにあるのだろうか？

ラビードもマラルメもそうだと答えている。空虚な場と剥奪という試練を最後まで支持するために一人の師が必要なのだ。アラビアのオードの師は、配分できる自然の真理の選択をする。マラルメの師は、選択そのものを犠牲にするべきであると、選択と非‐選択の等価性を実践するべきであると、そして、そのとき非個人的な真理が生じるのだということを示す。まさに今日のように、民主主義において次のようなことが言える。ある大統領を選択するということは、厳密に言って選択しないことと等価であると。というのも、市場の不確実性と科学の資本主義的な組織化という超越性によって操作される政治は常に同一であるからだ。

しかし、これら二つの場合において、最初の師がいる。彼は選択の性質に関して決定する。現代思想の主要な問いは、私によれば次のようなこととなる。師の形象を通ることなく、この形象を召喚することも犠牲にすることもなく虚空から真理へと向かう選択と決定に関する思考を見つけ出すことである。

アラビアのオードから、真理は場に内在的であるという確信をとどめておかなければならない。真理は外部のものではないし、超越的で非個人的な力ではないという確信である。だが、師を召喚することなしに。

フランスの詩から、真理は匿名であるという確信をとどめておかなければならない。真理は虚空から生じるのであり、師からは切り離されているという確信である。だが、師を不在にし、犠牲にする必要なしに。

問い全体を次のように再定式化することができる。匿名あるいは非個人的であるのだが、それと同時に内在的で地上にあるものとしての真理をどのように考えたらよいのだろうか。あるいは、虚空と剥き出しの場という最初の試練のなかで、選択の師となるべき必要性もなく、師に選択を委ねることもなく、真理を選択することができるということをどのように考えたらよいのだろうか。

このことこそ、私の哲学が、詩という条件を受け入れながらなそうと試みていることである。問題を解決するために必要だと私に思われるいつかのモチーフを示すことにしよう。

（a）真理というものはなく、あるのはいくつもの真理である。この複数性は重要である。諸真理の還元不能な多数性を引き受けることになるだろう。

（b）各真理は一つの過程であり、一つの判断であったり事物の状態であったりはしない。この過程は、権利上、無限であるか完了されないものである。

（c）この真理の無限の過程における有限のあらゆる瞬間を真理の主体と呼ぶ。主体はしたがって真理に対するどんな制御も及ぼさないし、同時に、主体は真理に対して内在的である。

（d）真理のあらゆる過程は出来事から始まる。出来事は予測できないもの、計算できないものである。それは状況への補足である。あらゆる真理と、したがってあらゆる主体は、出来事的出現に依る。一つの真理と、真理の一つの主体は、そこにあるものからではなく、強い意味でこれから到来するものに起因する。

（e）出来事は状況の虚空を明らかにする。なぜならそれは、そこにあるものは真理なきものであったことを示すからだ。

この虚空から出発してこそ、主体は真理の過程の断片として構成される。この虚空が、状況あるいは場から主体を分離し、先例のない軌道のなかに書き込む。したがって、確かに、虚空の試練、虚空としての場の試練が真理の主体を打ち立てるのだが、その試練はどんな制御も構成しない。全く一般的なやり方でせいぜい言えることは、何らかの主体は真理の闘士ということである。

（f）主体を真理に結びつける選択は、在り続けるという選択である。出来事への忠実性である。

虚空への忠実性である。

主体とは、虚空が顕わになることによって生じる者、自分自身に対するこの距離に固執することを選択する者のことである。虚空とは、場が在ることとそのもののことである。

そして私たちは出発点へと立ち戻る。というのも、一つの真理は常に、虚空を名づけ、放棄された場から詩を作ることで始まるからである。主体が忠実であるところのものはまさにラビード・ブン・ラビーアが私たちに述べるものである。

風が粉塵にして散らす砂丘の
はずれに孤立して立つ、とても高い、一本の木のした、
夜隠された星々に雲がかかる。[18]

そしてマラルメが私たちに述べることでもある。

白くなった〈深淵〉は、荒れ狂って、翼の絶望的なまでに平らな傾きのもとで、飛び立つ困難から前もって落下した自分自身を広げる。[19]

一つの真理は一つの虚空の詩によって始まり、続くことを選択することで続き、それ固有の無

限が尽きるときにしか完遂されない。誰もその師ではないのだが、各々がそこに書き込まれうる。各々が次のようなことを言えるのだ。いいえ、そこにあるものだけではありません。到来したものもあります。そして私は、ここで今、持続を荷うのです、と。

持続？　ページ上の星のように永遠に書き込まれる詩は、この持続の模範的な守衛である。しかし、出来事のはかなさ、出来事の暗示的な消滅、真なるものの生成のなかで固定されないものとしてそこにあるもの、これらに対して捧げられる他の芸術はないのだろうか？　師の袋小路から免算された芸術が？　可動性と「一度きり」の芸術が？　ダンス、身体の重さの忘却のなかに私たちを連れ込むこれら動く身体に関して何が言えるだろうか？　映画、イメージ‐時間のドゥルーズ的なフィルムの回転に関して何が言えるだろうか？　劇場、そこでは毎晩一つの作品が、同じものであっても常に違った作品として上演され、ある日には、俳優が消え、舞台装置が燃え、演出家が省かれ、何も残っていないであろうようなこの劇場に関しては何が言えるだろうか？　言うべきこと、それは、これらは芸術的布置の違ったタイプであり、この布置はより慣れ親しんだもの、より柔軟性のあるものであるということである。さらに、尊大な詩と違って、人を集める。哲学は、致命的な衝突あるいは安堵をもたらす詩との結びつきと同じように、これら公衆の通過を伴う芸術とうまくやっていけるのだろうか？

第6章　思考のメタファーとしてのダンス

いったいなぜダンスは、思考の必然的なメタファーとしてニーチェのもとにやって来るのだろうか？　それは、ダンスが、ツァラトゥストラ＝ニーチェの強大な敵、すなわち彼が「重力の精神」と呼ぶ敵に対抗するものであるからだ。ダンス、それは何よりもまず、あらゆる重力の精神から免算された思考のイメージである。この免算の他のいくつかのイメージを見つけることが重要となる。というのも、これらのイメージはダンスを緻密なメタファーの網目のなかに組み込むからである。例えば鳥がいる。ツァラトゥストラはこう表明する。「重力の精神を私が憎むからこそ、私は鳥に似ているのだ[1]」と。これは、ダンスと鳥のあいだの最初のメタファー的結合である。ここには、身体の内にある鳥と呼べるものの萌芽、その踊り出すような生誕があると言えるだろう。より一般的に言えば、ここには飛翔のイメージがあるのだ。ツァラトゥストラはこうも言う。「飛ぶことを学ぶ者は大地に新しい名を与えるだろう。彼は軽やかなるもの＝女と呼ぶだろう」[2]。そして、ダンスとは大地に与えられた新しい名であると言うことは、確かにダンスの非常に美しく適切な定義であるだろう。さらに子供がいる。子供は「無邪気にして忘却、新たなる始まり、遊戯、自力で回転する車輪、原初の運動体、単純な肯定」[3]である。これは『ツァラトゥストラ』の冒頭にある三番目の変身であり、ダンスの対立物であるラクダと、再開された大地を軽やかなるもの＝女と呼ぶためにはあまりにも凶暴なライオンの後に続くものである。そして実際、ダンスとは鳥、飛翔であり、子供が意味するものすべてでもあると言わなければならないだろう。ダンスは無邪気である。なぜならダンスは身体以前にある身体だからである。ダンスは忘却である。なぜならダンスは自らの拘束や重さを忘れる一つの身体だからである。ダンスは新たな始まりである。なぜなら踊る身振りは常に、まるで自らに固有の新たな始まりを発明するかのようであらねばならないからである。もちろんそれは遊戯でもある。なぜならダンスが、あらゆる社会的なジェスチャーから、あらゆる生真面目なことから、あらゆる礼儀作法から身体を解放するからである。自力で回転する車輪、これは可能な限り大変美しいダンスの定義である。というのも、ダンスは空間のなかの輪、それ固有の原理を自らそなえた輪であり、外部から描かれたものではなく、自らを描き出す輪だからである。原初の運動体、それはダンスの一つひとつの身ぶり、それぞれの軌跡が、一つの帰結としてではなく、可動性の源泉そのものであるものとして呈示されなければならないということである。単純な肯定、なぜならダンスは、ネガティブな身体、恥ずべき身体を輝くばかりに不在にするからである。

続いてニーチェは、これもまた重力の精神を溶かすイメージの線のなかで噴水についても語るだろう。「私の魂は湧き出る噴水だ(4)」。なるほど、踊る身体はまさしく地面の外へ、己自身の外へ湧き出る状態にあるのだ。

最後に、すべてを要約する大気、空気のような要素がある。ダンスは、大地自体を「空気のようなもの」と名づけることを可能にするものである。ダンスにおいて、大地は絶え間ない通風をそなえたものとして考えられ、ダンスは、大地のひと吹き、呼吸を前提としているのだ。というのも、ダンスに関する中心的な問いが、垂直性と引力のあいだの関係であるからだ。垂直性と引力が踊る身体のなかを通過することで、身体は、逆説的な可能態を表明できるようになる。つまり、大地と大気がお互いのポジションを交換し、お互いがお互いのなかを通過するという逆説的な可能態である。これらすべての理由により、思考はダンスのなかに自分の変身を見出し、ダンスは、鳥と噴水と子供、そして触れることのできない大気からなるセリーを要約するのである。確かにこのセリーはとても無邪気でほとんど幼く見える可能性があり、これはもはや何も気取らず何も重きをなさない子供向けのお話のようなものである。だが、理解しなくてはならないのは、このセリーが、ニーチェによって――ダンスによって――潜勢力と熱狂とが結びつくなかで横切られているということだ。ダンスはセリーのなかの一つの項であると同時にセリーを暴力的に横断することでもあるのだ。ツァラトゥストラは自分自身についてこう言うだろう。自分は「熱狂したダンサーの足」[5]をもっていると。

ダンスは、無邪気なものの潜勢力的な横断を形象化する。ダンスは、噴水、鳥、幼年期として現われるものの秘められた激しさを表明する。実際、ダンスが思考をメタファー化するということを根拠づけるのは、思考は強度化〔*intensification*〕であるというニーチェの信念なのである。この信念は、思考のなかにその実現の方法が外在的なものであるという原理を認める説とは根本的に対立する。ニーチェにとって思考とは、それが与えられるところ以外のところで実行されないし、思考は「その場で」こそ実効性をもつのであり、思考とは、こう言うことが可能なら、自らを強度化するものであり、あるいはさらに言えば、自らがもつ強度の運動なのである。

しかしその際、ダンスのイメージは自然のものである。それは思考の〈観念〉を内在的な強度化として目に見える形で伝えてくる。ダンスと言うよりむしろ、ダンスのある種のヴィジョンである。実際、柔軟な身体に課せられた外部からの強制としてのダンス、外部から統御させられた踊る身体の訓練としてのダンスのあらゆる表象を遠ざけるときにのみメタファーは効力をもつ。ニーチェは、彼がダンスと呼ぶものと、そのような訓練を絶対的に対立させている。結局のところ、ダンスは、従順で筋骨たくましい身体を、すなわち能力をもつと同時に規制された身体を私たちに展示するのだと想像されるかもしれない。言わば、振り付けに従うよう訓練させられた身体の体制である。だが、ニーチェにとってそのような身体とは、踊る身体、内部において空気と大地を交換する身体とは逆のものなのである。

ニーチェにとってダンスの反対物とは何だろうか？　それはドイツ的なもの、忌まわしきドイツ的なものである。彼はこれについて次のような定義を与えている。「服従と健脚」[6]。この忌まわしきドイツの本質とは軍隊の行進であり、これは鉄槌を打つような整列した身体、よく響く隷属した身体である。すなわち打ち鳴らされる拍子の身体である。それに対して、ダンスは、空気のようで、断ち切られた身体、垂直的な身体である。それは、鉄槌を打つような身体では全くなく、「トウで立つ」身体、地面をまるでそれが雲であるかのように突き刺す身体である。そして、何よりもまず、それは沈黙した身体であり、それに対立するのが、自らに固有の鈍重な打撃の大音響が事後的に規定するあの身体、軍隊の行進の身体なのである。結局のところ、ニーチェにとってダンスは、垂直的思考を、己自身の高さへとぴんと張った思考を指し示す。このことは、明らかに肯定のテーマに結びついており、この肯定は、ニーチェにとって、太陽が天頂に上るときの「大いなる〈正午〉」のイメージのなかで捉えられている。ダンスとは、自らの天頂に捧げられた身体なのだ。だが、おそらくより深いところで、思考のイメージと同時に身体の現実的なものとしてニーチェがダンスのなかに見るものは、それ自体に強く結びつけられた可動性、外部の規定には書き込まれておらず、それ自身の中心から分離することなく運動する可動性のテーマである。それは強いられることのない可動性であり、まるで自らの中心を拡大するかのようにそれ自体で広がっていくものである。

もちろん、ダンスは、生成としての、能動的な潜勢力としての思考というニーチェの考えに呼応している。しかし、この生成は、唯一の肯定的内面性がそこにおいて解放されるところのものとしてある。運動は、移動あるいは変形ではなく、一つの肯定の永遠の単一性が横断し支える軌跡なのである。その結果、ダンスは身体的衝動という能力を示すのだが、それは、原則的に自己の外の空間に投げ出されることへの衝動ではなく、むしろこの衝動を抑制する肯定的な牽引のなかに捉えられることへの衝動なのである。おそらくそこにこそ最も重要な点がある。というのも、ダンスは、様々な運動の顕示やそれらの運動を外部へ描写する際の敏捷さを超えて、それらを抑制する力を明らかにするからである。確かに、抑制の力を示すのは運動そのものにおいてだけかもしれない。だが、重要なのは、この抑制の力強い読み取りが可能であることなのである。

そのように理解されたダンスにおいて、運動は、生じなかった＝場をもたなかったもののなかに、運動そのものの内部で効力をもたないままであったか抑制されたもののなかに、その本質をもつ。

なおこれは、ダンスの観念を否定の側から扱う別のやり方であるだろう。というのも、抑制されない衝動、ただちに従順になり露わにされる身体的要請をニーチェは卑しさと呼ぶからだ。彼は次のように書く。あらゆる卑しさは、誘惑に抵抗できない無能力から来るのだと。あるいはさらに、卑しさとは、反応せざるをえないということ、「そのつどの衝動に従順である」ということであるとも書いている。ダンスはしたがってあらゆる卑しさから免算された身体の運動として定義されるだろう。

ダンスは、解放された身体的衝動や身体の野生的なエネルギーでは全くない。逆にそれは、一つの衝動への不服従という身体的な顕示である。ダンスは、どのようにして衝動が運動のなかで効力をもたなくなってしまうのかを示す。したがって問題となるのは従順ではなく、抑制なのである。ダンスは、洗練としての思考なのである。私たちは、原始的恍惚あるいは身体の忘却的反芻としてのダンスという教義すべてと対立している。ダンスは、軽やかで繊細な思考をメタファー化する。それはまさしく、ダンスが運動に内在する抑制を示し、そうすることで身体の自発的な卑しさに対立するからである。

これにより、私たちは、軽さとしてのダンスというテーマのなかで述べられることを適切に考えることができる。そう、ダンスは重力の精神に対立する。そう、ダンスとは大地に「軽やかなるもの＝女」という新たな名を与えるものである。だが、結局のところ、軽さとは何だろうか？それは重さの不在であると述べてみてもそれは遠くまで我々を導くことはない。この軽さということから、束縛されない身体、身体自体からも束縛されず、つまり、自らに固有の衝動に対して不服従の状態にある身体として自らを顕示する身体の能力であるのだと理解しなければならない。この不服従の衝動は、ドイツ（「服従と健脚」）と対立するのだが、とりわけこの衝動は遅さの原理を要求する。軽さはその原理の本質をもっており、そこにおいてこそダンスは、速いものに秘められた遅さを表明する能力において、その遅さの最上のイメージであるのだ。ダンスの動きは確かに極端な敏捷さを伴い、速さにおいても技巧的でさえあるのだが、動きの抑制における肯定的な潜勢力という潜在的な遅さがそこに宿っているからこそなのである。ニーチェは「意志が学ばなければならないことは、遅くて疑い深くなることだ[7]」と主張する。ダンスとは、身体‐思考の遅さと疑うことの拡大として定義できると言っておこう。このような意味で、ダンサーは私たちに、意志が何を学ぶことができるのかを教えてくれるのである。

当然その結果、ダンスの本質は、現働的な動きというよりも、潜在的な動きであるということになる。つまり、現働的な動きに秘められた遅さとしての潜在的な動きである。あるいはより正確に言えば、ダンスは、技巧的な最大限の敏捷さのなかで、この隠された遅さを晒し出すのであり、その遅さにおいて起こったことはダンス固有の抑制と区別がつかない。技術＝芸術〔art〕の極みにあって、ダンスは、敏捷さと遅さのあいだだけではなく、身振りと非‐身振りのあいだの奇妙な等価性を見せてくるだろう。ダンスは、動きが生じたにもかかわらず、この生‐起〔avoir-lieu〕は潜在的な非‐生起と区別がつかないということを指し示すだろう。ダンスは、様々な身振りによって構成されているが、これらの身振りは自らの抑制によって取り憑かれ、いわば未決定のままにとどまるのだ。

私自身の思考あるいは見解からすると、このニーチェ的な解釈は次のことを示唆している。つまり、ダンスとは、すべての真の思考が一つの出来事に宙づりになっているということのメタファーであるだろうということを。というのも、出来事とは、まさしく場をもつことと非‐場とのあいだで未決定なままにとどまるもの、己の消滅から見分けがつかない出現であるからだ。出来事はそこにあるものにさらにつけ加わるのだが、この補足が指し示されるや否や、「ある」がその諸権利を取り戻し、すべてを意のままにしてしまう。もちろん、出来事を固定させる唯一の方法は、その出来事に名を与え、余分な名として「ある」のなかに書き込むことである。「出来事そのもの」は、それ自体の消滅でしかないのだが、書き込みは、その喪失によって飾られた縁のようなところに、その出来事を保持しておくことができるのだ。名とは、場を‐もった‐ということを決定するものである。ダンスはそこで出来事としての思考を指し示すのだが、それは、思考が名をもつ以前の、つまり、名に保護されることもなく、それ自体の消失のなかの、その真の消滅の瀬戸際での、出来事としての思考であるだろう。ダンスは、いまだ決定されざる思考を身振りで表すのだ。それは、生まれたままの、あるいは固定されない思考であるだろう。そう、ダンスのなかには固定されざるもののメタファーがあるだろう。

　こうして明らかになるのは、ダンスは空間のなかで時間を演じねばならないということである。というのも、出来事は、その命名による固定をもとにして特異な時間を基礎づけるからである。線が引かれ、名づけられ、書き込まれることで、出来事は、「ある」のなかで、一つの前と後を描き出す状況下にあるのだ。一つの時間が存在し始めるのだ。しかし、もしダンスが名「以前」の出来事のメタファーであるならば、それは、名のみがその切断によって制定するこの時間の性質を帯びることはできない。ダンスは、時間的な決定から免算されているのだ。したがって、ダンスのなかには、何か時間以前のもの、前時間的なるものがある。そして、この前時間的な要素が空間のなかで演じられることになる。ダンスとは、時間を空間のなかで宙づりにするものなのだ。

ヴァレリーは、『魂とダンス』のなかで、踊り子に向けて次のように言う。「切迫するなかでお前はなんと素晴らしいことだろう[8]」。私たちは確かに、ダンスとは切迫性に捉われた身体のことだと言うことができるだろう。だが切迫しているのは、まさに生じようとする時間の前の時間である。ダンスは、切迫性を空間化するものとして、あらゆる思考が基礎づけ組織するもののメタファーとなるだろう。ダンスは命名以前の出来事を演ずるのであり、したがって名の代わりに沈黙があるのだと言うこともできるだろう。まさしくそれが時間以前の空間であるように、ダンスは名以前の沈黙を表明するのである。

直ちに生ずる反論とは明らかに音楽の役割である。あらゆるダンスがかくも強固に音楽の管轄のもとにあるように思われるときに、どのようにして私たちは沈黙について語ることができるのだろうか？　なるほど、音楽、より正確にはリズムの虜になった身体としてダンスを記述するようなそんなダンスについての見解がある。だがそのような見解は、いまだに、そして常に、「服従と健脚」に、私たちの重苦しいドイツに属するものなのであり、たとえその服従が音楽を自らの主人と認識しているとしてもそうなのである。ためらわずに言うならば、音楽に服従するあらゆるダンスは、たとえショパンやブーレーズが問題になっていても、音楽を軍隊音楽にしてしまっているのであり、そのときダンスは忌まわしきドイツへと変貌するのである。

主張しなければならないのは、その逆説がどのようなものであれ、次のようなことである。つまり、ダンスに対して、音楽は沈黙を刻印する以外の役目を担っていないということである。したがって音楽は必要不可欠である。というのも、沈黙は沈黙として表明するために刻印されねばならないからである。何の沈黙か？　名の沈黙である。もしダンスが名の沈黙のなかで出来事の命名を演ずるというのが本当であるなら、この沈黙の場所は音楽によって指し示されるのだ。それはごく自然なことである。ダンスを基礎づける沈黙を指し示すことができるのは音の最大限の集中によってのみである。そして音の最大限の集中とは音楽のことである。したがって、あらゆる外見にもかかわらず、すなわちダンスの「健脚」が音楽の要請に従わせようとする外見にもかかわらず、音楽を操作しているのは実はダンスなのである。そのとき音楽は基盤となる沈黙を刻印し、そこでは、名の偶然的で消滅するエコノミーのなかでダンスが生まれたままの思考を呈示するのである。あらゆる思考における出来事的次元のメタファーとして理解されるダンスは、自らがそれによって維持されるところの音楽に先立っているのだ。

これらの予備的考察から、その諸帰結として、ダンスの諸原理と私が呼ぼうとしているところのものが引き出される。それは、それ自体から、すなわちその技術やその歴史から出発して考えられたダンスに関してではなく、哲学が保護し迎え入れるようなダンスに関しての原理である。

それらの原理は、マラルメがダンスに捧げた二つのテクスト、簡潔であると同時に深く、私から見れば決定的なこれらのテクストにおいて完全に明瞭になっている。

私はそこから六つを区別するのだが、それらすべてはダンスと思考の関係に関わっており、ダンスと演劇の非明示的な比較によって支配されている。

これが六つの原理のリストである。

(1) 空間の義務
(2) 身体の匿名性
(3) 性の目立たぬ偏在
(4) 自己自身から免算されること
(5) 裸形性
(6) 絶対的視線

これらを順に説明していこう。

ダンスが空間のなかで時間を演じ、切迫性の空間を前提としていることが本当だとすれば、その際ダンスには空間の義務があることになる。マラルメはその事を次のように告げている。「私にはダンスだけが現実の空間を必要としているように見える」[9]。ダンスだけが、というところに注意しよう。ダンスとは様々な芸術のうち唯一空間に拘束されているものなのだ。とりわけこれは演劇には当てはまらないことである。すでに述べたことだが、ダンスとは命名以前の出来事である。それとは逆に演劇は、演じられた命名の帰結に過ぎない。台本があり、名が与えられてからは、要求されるのは時間であって空間ではないのだ。テーブルのうしろで読んでいる誰かは演劇をなすことができる。確かにさらなる舞台や舞台装置を彼に与えることができる。しかし、こうしたすべては、マラルメにとって非本質的なものにとどまる。空間は、演劇の内在的な義務ではない。反対にダンスは、空間をその本質のなかに組み込む。ダンスはそれを行う思考の唯一の形象であり、したがってダンスは思考の空間化を象徴していると我々は主張することができるだろう。

そのことから何を理解するべきか？　もう一度あらゆる思考の出来事的な起源に立ち戻らなければならない。出来事は状況のなかで常に局所化されており、状況の「すべて」に影響を与えているわけでは決してない。つまり、私が出来事的な場所〔site〕と呼んだものがあるのだ。出来事がその真理としての状況に「働きかける」ところの時間を命名が基礎づける以前に、場所がある。そして、ダンスが名‐以前の顕示である以上、ダンスは一つの場所の踏破として展開されなければならない。純粋な場所の踏破である。これはマラルメの表現だが、ダンスのなかには「場所の処女性」[10]があるのだ。そして彼は付け加える。「夢想されたのではない場所の処女性」と。この「夢想されたのではない」とは何を意味しているのか？　それは、出来事的な場所は舞台装置に関する想像をあれこれする必要がないということだ。舞台装置とは演劇のものであり、ダンスのものではない。ダンスとは、形象的装飾のない、あるがままの場所である。ダンスは空間のみを、空間化のみを要求する。以上が第一の原理に関してである。

第二の原理――身体の匿名性――に関して言えば、私たちは、あらゆる呼称の不在を、名‐以前をそこに再び見出す。場所に出来するような、切迫性のなかで自らを空間化するようなダンスする身体は身体‐思考であり、誰かでは決してない。これらの身体についてマラルメは次のように表明する。「それらは紋章以外のものではなく、誰かでは全くない[11]」。紋章はまず模倣に対立する。ダンスする身体は一人の登場人物、あるいは一つの特異性を模倣することはない。それは何も形象化しないのだ。演劇の身体はと言えば、常に模倣のなかに捕らえられており、役柄によって把握されている。ダンスする身体は、いかなる役柄もそれを役柄に巻き込むことはなく、純粋な出現の紋章なのである。しかし、「紋章」はあらゆる表現形態に対立してもいる。ダンスする身体はどんな内面性も表現しない。完全に表面にあって目に見える形で抑制された強度としてのダンスする身体こそ内面性なのである。模倣でも表現でもなく、ダンスする身体は、場所の処女性のなかへの訪問の紋章なのである。この身体はそこにまさしく次のことを表明しにやって来るのだ。思考、すなわち真の思考とは、出来事による消滅のところで宙づりになっており、それは非人称的な主体の導入なのであると。思考の（あるいは真理の）主体の非人称性とは、そのような主体がそれを可能にする出来事以前に存在することはないということの結果である。したがって、その主体を「誰か」であるものとして捉える必要はない。開始的なものであり、一つの原初の身体のようなものであることによってダンスする身体が意味しようとしているのはこういうことなのである。ダンスする身体は、私たちの目の前で身体として生まれるということの匿名的なるものである。同様に、真理の主体もまた、前もって自らが現在それであるところの「誰か」であることは、その先行性がどのようなものであれ、決してないのである。

第三の原理——性の目立たぬ偏在——に関して、私たちはそれを、見たところ相矛盾するマラルメのいくつかの表明から引き出すことができる。「偏在」と「目立たぬ」のあいだに私が設定する対立のなかで現れるのがこの矛盾である。二つの性的ポジション（「男」と「女」というのがその名である）があるのだと普遍的に表明するダンスは、同時に、この二元性を抽象化、あるいは抹消してしまうのだと言っておこう。一方でマラルメは、「ダンスとはすべて、口づけの聖なる神秘的解釈でしかない」[12]と述べている。ダンスの中心には、そのようにして性の結合があり、それこそが性の偏在と呼ぶ必要のあるところのものである。ダンスは、性的なポジション同士の結合と分離によって全体的に構成されている。すべての運動は、それらの強度を、その主要な引力が「男」と「女」というポジションを結びつけ、それから切り離す行程のなかで保持しているのである。だが他方でマラルメは、「踊り子は女ではない」[13]とも書いている。あらゆるダンスが口づけの——性の結合の、要するに性行為の——解釈であり、だがそれにもかかわらず、そのようなものとしての踊り子が「女」と名づけられえず、したがって男性のダンサーもまた「男」と名づけられえないということがどうして可能なのだろうか？　それは、ダンスが、性化から、欲望から、愛からとどめておくのが純粋な形式のみであるからだ。出会いと絡み合いと別れという三つ組みを組織する形式である。これら三つの項を、ダンスは技術的にコード化する（諸コードはかなり変化するが、それらは常に作用している)。振り付けがその空間的な結びつきを組織する。しかし、最終的には、出会いと絡み合いと別れというこの三重性は、その宛先から自らを切り離す強度をもつ抑制の純粋性に到達するのである。

実際には、男性のダンサーと女性のダンサーの差異の偏在は、そしてそれを通した性の差異の「観念的な」偏在は、ただ接近と別れのあいだの関係の手段〔*organon*〕としてのみ取り扱われているのであり、したがって、男性のダンサー／女性のダンサーという対も、それを男／女という対の上に命名として重ね合わせることはできない。性への偏在的な暗示のなかで作用しているのは、要するに、存在することと消滅することのあいだ、場を‐もつことと廃棄とのあいだの相関関係であり、その出会いと絡み合いと別れが認識可能な身体的コード化を提供するのである。

性化がそのコードとなっている分離のエネルギーは、そのものとしての出来事、すなわちあらゆる存在が消滅することのなかでつなぎとめるもののメタファーのために機能することになる。だからこそ性の差異の偏在は目立たず、あるいは自らを廃棄するのであり、ダンスの表象的な目的にはならないのである。むしろそれはエネルギーによる形式的な抽象化であり、その軌跡が、消滅のもつ創造的な力を空間のなかに呼び出すのである。

第四の原理——自己から免算すること——については、マラルメの全くもって奇妙な言明に依拠するのが適当である。つまり、「踊り子は踊らない[14]」である。私たちは、彼女が女ではないことを見たばかりだが、この言明からダンスを演ずる誰かであると理解するならば、彼女はさらに

「踊り子」ですらないのである。この言明をもう一つの言明に近づけてみよう。マラルメは私たちに言う。ダンスとは、「書き手の道具のすべてから解放された詩篇[15]」であると。この二つ目の言明は一つ目のもの（「踊り子は踊らない」）と全く同様に逆説的なものである。というのも、詩篇とは定義上、とりわけマラルメ的な見解においては、痕跡であり書き込みだからである。したがって「書き手の道具のすべてから解放された」詩篇とは、まさしく詩篇から解放された詩篇、それ自体から免れた詩篇のことであり、ちょうど踊らない踊り子が、ダンスから免れたダンスであるかのようである。

ダンスとは、書き込まれざる詩篇、あるいは非痕跡化された詩篇のようなものである。そしてダンスとは、ダンスなきダンス、非ダンス化されたダンスのようなものでもある。ここで言われているのは、思考の免算的次元のことである。あらゆる真の思考は、それがそこにおいて構成されるところの知から免算されているのだ。ダンスが思考のメタファーであるのは、まさしく、ダンスが身体を使って次のことを指し示すからである。つまり、出来事的なその出現という形式における思考は、知のあらゆる先行存在から免算されているということである。

ダンスはこのような免算をどのように指し示すのか？　というのも、まさに「真の」踊り子は決して自らの踊るダンスを知っている踊り子として現れるべきではないからだ。彼女の知（それは苦しみながら獲得された技術に関する膨大なものである）は、その身振りの純粋な出現によって無価値なものとして横切られる。「踊り子は踊らない」という言明は、我々が見ているものは決して知の現実化ではないということを意味している。たとえ、この知が一貫してダンスの素材あるいは支えとなっているにもかかわらずそうなのだ。踊り子とは、踊り子自身の知すべてを奇跡的に忘却することであり、彼女はいかなるダンスも演じてはいない。彼女は身振りの未決定なるものを表明するあの抑制された強度なのである。実際、踊り子は、自らの身体をまるでそれが発明されたものであるかのように使うがゆえにあらゆる既知のダンスを廃棄する。したがって、ダンスのスペクタクルとは、身体のもつあらゆる知から免算された身体なのであり、それは出現=開花〔*éclosion*〕としての身体なのである。

このような身体は必然的にこう言われるだろう——これが第五の原理だが——それは裸形であると。もちろん経験的に身体が裸形であるかどうかは全く重要ではない。その身体は本質的に裸形なのである。ダンスが純粋な場所に訪れ、したがって舞台装置を必要としない（それがあろうとなかろうと）のと同様に、出来事としての身体-思考であるダンスする身体は衣装を必要としないのだ（チュチュがあろうとなかろうと）。この裸形性はきわめて重要である。マラルメは何を述べているだろうか？　彼が言うには、ダンスは「きみの諸概念の裸形性をきみに届ける[16]」のだ。そして彼はこう付け加えている。「そして沈黙のうちにきみの生を書くだろう[17]」と。この裸形性とはしたがって次のように理解される。思考のメタファーとしてのダンスは、思考を、それ自体以外への関係をもつことなく、その出現の裸体において、私たちに呈示する。ダンス、それは関係なしの思考、何も関係させず、何も関係のなかに置かない思考である。こうも言われるだろう。ダンスとは思考の純粋な消費であると。なぜなら、それは思考に関してありうる装飾のすべてを破棄するからである。そこからダンスは、傾向的に、純粋なる裸形性の顕示となる。それは、あらゆる装飾以前の裸形性、人が自分の装飾を脱ぎ捨てることから帰結するのではない裸形性、それどころか、あらゆる装飾以前に自らを差し出す裸形性なのである。——出来事が名「以前」に自らを差し出すように。

　第六番目にして最後の原理は、もはや踊り子にも、そしてダンスにさえも関わらず、観客に関わってくるものである。ダンスの観客とは何であろうか？　この問いにマラルメはとりわけ要求度の高いやり方で答えている。というのも、紋章であるダンサーが決して誰かではないのと同様に、ダンスの観客も厳密に非人称的でなければならないからである。ダンスの観客は、どうあっても、見る人の特異性ではありえないのである。

　確かに、もし誰かがダンスを見るとすれば、その誰かは不可避的にダンスの窃視者となる。この点は、ダンスの諸原理から、その本質（性の目立たぬ偏在、裸形性、身体の匿名性など）から帰結してくる。これらの原理が実効性あるものになりうるのは、観客が、自らの視線が含みうる特異なもの、あるいは欲望を抱かせるもののすべてを断念するときのみなのである。他のすべてのスペクタクルは（何よりも演劇は）、観客が場面を自分自身の欲望で満たすことを要求する。この点において、ダンスはスペクタクルではない。ダンスはそうではない。というのも、それは、欲望する視線を許容しないからであり、この視線は、ダンスを目にするとすぐに、ダンスする様々な免算がそこにおいて自らを抹消してしまうような、窃視者の視線でしかありえなくなるからである。したがって、マラルメが「非人称的な、あるいは雷を放つような絶対的視線[18]」と呼ぶものが必要なのである。ただし、これは、男性のダンサーや女性のダンサーたちの本質的な裸形性が課してくる厳しい拘束ではないだろうか。

「非人称的な」、私たちはこれについて語ったばかりである。ダンスが生まれたままの思考を形象化するのなら、ダンスは、一つの普遍的な宛先に従ってのみそれを形象化することができる。ダンスは、そもそも自らまだその時間を構成してすらいない欲望の特異性を対象とはしない。それは、諸概念の裸形性を展示する＝晒し出す〔expose〕ものである。だからこそ観客の視線は、ダンサーたちの身体上に自らの欲望の諸対象を求めることをやめねばならない。というのも、それら欲望の諸対象は、装飾的なあるいはフェティシズム的な裸形性へと我々を送り返してしまうからだ。諸概念の裸形性にまで到達することは、一つの視線を要求してくる。それは、「卑しい」身体（とニーチェなら言うだろう）がその支持体となる諸対象に向けられたあらゆる欲望する探査の重荷を下ろして、無邪気で本源的な身体‐思考へ、すなわち発明された、あるいは出現＝開花した身体へと到達する、そんな視線である。だが、そのような視線とは誰のものでもない視線なのである。

「雷を放つような」とはつまり、ダンスの観客の視線は存在することから消滅することへの関係を把握するべきであり、その視線は一つのスペクタクルで満足することはできないだろうといいうことである。そもそもダンスとは、常に偽の全体性である。そこにあるのは、スペクタクルの閉じた持続ではなく、出来事の、その逃走のなか、その存在と虚無の未決定な等価性のなかでの、恒常的な顕示なのである。それにふさわしいのは、視線の稲妻だけであり、視線の満ち足りた注意力などではないのだ。

「絶対的」とはつまり、ダンスのなかで形象化された思考は永遠の獲得物であると見做されねばならない、ということだ。ダンスは、場をもつや否や消え去ってしまうがゆえにまさしく絶対的に儚い芸術であり、だからこそそれは、永遠という最も強力な負荷を保持している。永遠は、「そのままであり続ける」ことのなかに、あるいは持続のなかに存しているのではない。永遠とは、まさしく消滅を保つものである。「雷を放つような」視線が消失を捉えるとき、それは、この消失を、あらゆる経験的な記憶の外で、純粋なままに保つことしかできない。それを永遠に保つ以外に消滅するものを保つ他の方法はないのである。消滅しないものは、保持の摩滅にそれを晒しながら保っておくことができる。しかし、真の観客に把握されたダンスは、摩滅されえないのだ。なぜならまさしく、ダンスはその出会いの絶対的な儚さに他ならないからである。この意味においてこそ、ダンスに向けられる視線の絶対性が存在するのだ。

今や、ダンスの六つの原理を検討するならば、ダンスの本当の反対物が演劇であるということが明らかにされるだろう。確かに、軍隊の行進もそうではあるが、この反対物はネガティブなものである。演劇は、ダンスのポジティブな反対物である。

演劇がこれら六つの原理に背くということを、私たちはそのいくつかに関してはすでに示唆した。私たちは、テクストがそこで命名を行っている以上、演劇には純粋な場所という拘束がないということを、そして、俳優は匿名の身体とは全く別物であるということを、途中で指し示した。演劇には性の目立たぬ偏在も存在せず、全く反対に、性化の誇張された役の演技が存在するということは、たやすく指摘されるだろう。自己から免算されることからは最も遠い演劇的な演技とは、自己への過剰なのである。つまり、踊り子が踊らないのなら、俳優には、演技をする義務、幕を、それも五幕ものを演ずる義務が課されているのである。演劇には裸形性も決して存在しない。そこには、裸形性それ自体が衣装であるということから、義務づけられた衣装があり、さらにより派手なものがいくつもあるのだ。演劇の観客に関しては、そこに絶対的で雷を放つような非人称的視線など全く要求されはしない。というのも、そこにふさわしいのは、欲望の持続のなかにもつれた知性の興奮だからである。

ダンスと演劇のあいだには、本質的な対立があるのだ。

ニーチェは最も単純な仕方でこの対立に取り組んでいる。すなわち反演劇的な美学によってである。特に晩年のニーチェにおいて、そしてヴァーグナーとの全面的な決裂という枠組みのなかにあって、現代芸術の真なるスローガンとは、演劇性というおぞましき退廃した支配から(大地に与えられた新たな名としてのダンスというメタファーのために)免算されることなのである。演劇的な効果に諸芸術が従順することを、ニーチェは「役者症〔histrionisme〕」[19]と名づけている。そこに私たちはダンスのすべてが対立するところのもの、そして卑しさであるものを再び見出すのだ。ヴァーグナー的役者症から手を切ること、それはダンスの軽やかさを演劇の嘘っぽい卑しさに対立させることである。ビゼーは、ヴァーグナーの演劇化された音楽に抗って、すなわち、ダンスの沈黙の刻印である代わりに演技の重々しさを強調することで堕落してしまった音楽に抗って、「ダンスする」音楽の理想を名づける役目を果たしている。

この見解によると演劇性はあらゆる芸術の腐敗の原理そのものだということになるが、これは私の見解ではない。そのことはこの書物の続きにおいて充分に確認されるであろう。この見解はマラルメのものでもない。演劇は「高位の芸術である」[20]と書くとき、マラルメは全く反対のことを述べているのだ。マラルメは、ダンスの諸原理と演劇のそれとのあいだに一つの矛盾があるということを完全に見て取っている。しかしそこから演劇の道化的な下劣さを結論するのでは全くなく、マラルメは演劇の芸術的優位を強調するのだが、だからといってダンスにその概念的な純粋性を失わせているわけでもない。

そのようなことがどのようにして可能なのだろうか？　それを理解するためには、挑発的な、しかし不可欠な一つの言表を前景化しなければならない。ダンスは芸術ではない、という言表である。ニーチェの誤りとは、ダンスと演劇のあいだに共通の尺度、すなわち両者の芸術的強度としてあるだろう尺度があると考えてしまったことである。ニーチェは、彼のやり方で、諸芸術の分類のなかに演劇とダンスを配置し続けてしまっている。反対にマラルメの方は、演劇は高位の芸術であると表明するときも、そのことによって演劇のダンスに対する優越性を断言しようとしているわけでは全くない。確かに彼は、ダンスは芸術ではないとは言っていないが、もしダンスの六つの原理の真の意味を見抜くなら、我々は彼の代わりにそう言うことができるのである。

ダンスは芸術ではない。なぜならダンスとは、身体に書き込まれたものとしての、芸術の可能性、そのしるしであるからだ。

この文言について少し説明しよう。スピノザが言っていたのは、私たちは、身体が何を可能とするかを知りさえしないのに、思考とは何であるかを知ろうとしているということである。私としては、ダンスこそまさしく、身体が芸術を可能とするのだということを示すものであり、ふとある時に身体が芸術を可能にすることを正確に測る尺度であると言うだろう。しかし、身体が芸術を可能とすると言うことは、「身体芸術」を作ることを意味するわけではない。ダンスは身体のこの芸術的能力へと合図を送るが、だからといって一つの特異な芸術を定義しているわけではない。身体としての身体が芸術を可能とするのだと言うことは、身体を身体‐思考として示すということなのである。身体のなかで捉えられた思考としてではなく、思考である身体としてである。ダンスの務めとはこのことである。つまり、芸術という能力の消え去るしるしのもとで自らを示す身体‐思考。誰もがもつダンスへの感受性は、ダンスがみずからのやり方でスピノザの問いに答えているということから生じる。身体はそれとして何を可能とするのか？　身体は芸術を可能とする、つまりそれは生まれたままの思考として示されうるものである。少しでも私たちが非人称的で絶対的な雷を放つような視線を可能とするのであるならば、そのとき私たちを捉える感情をどのように名づければよいのだろうか？　私はそれを正確な眩暈と名づけよう。

それは眩暈である。なぜならそこには無限なるものが、可視的な身体の有限性のなかに潜在するものとして現れているからである。もし、身体の能力というのが、芸術的能力として、生まれたままの思考を示すことであるならば、この芸術的能力は無限であり、ダンスする身体はそれ自体無限である。ダンスにおける空気のような恩寵の瞬間における無限。そこで問題になっていること、眩暈のするようなそれは、身体の訓練によって制限された能力ではなく、芸術の無限の能力、その機会をそのなかに規定する出来事のなかに根づいているような、あらゆる芸術のもつ無限の能力なのである。

それにもかかわらず、この眩暈は正確なのである。というのも結局のところ、重要なのは、すなわち無限なるものを出来させるのは、抑制された的確さであり、秘められた緩慢さであって、明示的な妙技ではないからである。それは、身振りと非‐身振りのあいだのミリ単位の極端な的確さなのである。

そういうわけで、最も変わらぬ正確さのなかに与えられる無限なるものの眩暈があるのだ。ダンスの歴史は、眩暈と正確さのあいだの関係の絶え間ない刷新によって支配されているように私には思われる。何が潜在的なままにとどまり、何が現働化され、そしてどのようにして抑制は無限なるものをまさに解放しようとするのだろうか？　それらがダンスの歴史的諸問題である。それらの発明は思考の発明である。しかし、ダンスは芸術ではなく、ただ芸術へ向けられた身体能力の合図である以上、それらの発明は、本来の意味での諸芸術によって教えられた真理を含む諸真理の歴史全体のすぐ後に続くものである。

なぜダンスの歴史が、すなわち眩暈の正確さの歴史というものが存在するのだろうか？　それは真理というものが存在しないからである。もしも真理というものが存在するのなら、決定的な恍惚状態のダンスや出来事的な神秘的呪術といったものがあっただろう。それこそおそらく旋回舞踏するイスラム教修道僧の確信するところである。だが、あるのは雑多な諸真理であり、思考の様々な出来事からなる偶然的な多である。ダンスは歴史のなかでこの多数性を自分のものにする。これは眩暈と正確さのあいだの関係の絶え間ない再分配を前提とすることである。必要なのは、今日の身体には身体－思考として自らを示すことが可能だということを絶えず証明し直すことである。ただし、今日、そのことは新たな諸真理とは別のものでは決してない。ダンスは、それらの真理という生まれたままの出来事的なテーマを踊るだろう。新たな眩暈、新たな正確さである。

そういうわけで、私たちの出発点に立ち戻らなければならない。そう、ダンスとはまさしく踊られる度に、身体が大地に与える新たな名である。だがどんな新たな名も最後のものではない。絶えず行われることで、様々な真理の前－名の身体的呈示であるダンスは大地を再び名づけるのだ。

その点において、ダンスは確かに演劇の裏面なのである。演劇は、大地とは何の関係もなく、大地の名とも、身体が可能とするものとすら何の関係もない。というのも、演劇の方は、国家と政治の側、そして性と性のあいだの欲望の循環の側からすれば、一人の子供であるからだ。それはポリスとエロスの私生児である。これから私たちがそのことを公理的に述べていくように。

第7章　演劇に関する諸テーゼ

（1）どんな芸術にも当てはまることなのだから、演劇も考える芸術なのだと立証すること。「演劇」という言葉からここでは何を理解しなければならないのだろうか？　空気と大地を交換することのできる身体という唯一の規則のもとにあるダンス（そして音楽でさえダンスにとっては本質的ではない）とは逆に、演劇は一つの配置である。極めてばらばらな状態にある物的あるいは観念的構成要素を配置することであり、その唯一の実存は上演である。これらの構成要素（テクスト、場、身体、声、衣装、照明、公衆……）は一つの出来事、つまり上演のなかに集められるのであり、この上演が、ある晩からある晩にかけて繰り返されるとしても、このことは上演が毎度出来事的であるということ、つまり単独のものであることを全く妨げない。そのとき私たちは、この出来事は——それが実際に演劇、つまり演劇という芸術であるとき——思考の一つの出来事であると想定するだろう。これは、構成要素の配置は直接的に様々な観念を生み出すということを意味する（これに対してダンスはむしろ、身体は様々な観念を運ぶものであるという考えを生み出す）。これらの観念は——これが主要な点である——様々な観念－演劇である。それは、これらの観念が他のどんな場でも、他のどんな方法でも生み出されえないということを意味している。そしてさらに、個別に捉えられた構成要素のどれも、テクストさえも、観念－演劇を生み出す能力をもたないということをも意味する。観念は、上演において、そして上演を通して出来する。観念は断固として演劇的であり、「舞台上に」到来する前に存在することはない。

（2）観念－演劇はまず明らかにされるものである。ヴィテーズ[1]は、演劇は私たちの状況のなかで私たちを明らかにし、歴史と生のなかで私たちを方向づけてくれるもののために上演されるのだといつも述べていた。演劇は、錯綜した生を読み取れるようにするものであるべきだと彼は書いた。演劇は、典型の刻印によって獲得される、観念的な単純さをもつ芸術なのだ。その単純さはそれ自体、生の錯綜を明らかにすることのなかで捉えられる。演劇とは、単純化の、物的かつテクスト上の一つの経験である。それは、入り混ざった不明瞭なものを解きほぐし、この分解は、その演劇が可能とする諸真理を先導する。だが、単純さの獲得そのものが単純であると信じないようにしよう。数学では、問題や証明を単純化するということは、非常に多くの場合、最も密度の高い知的な技術〔art〕に属する。これと同様に演劇においても、錯綜した生を解きほぐし単純化するということは、最も多彩で最も難しい技法を要求するのだ。観念‐演劇は、歴史と生の公衆的な明るみとして、芸術＝技術の絶頂のときにしか出来しない。

（3）錯綜した生、それは本質的に二つのことである。性のあいだを巡る欲望と、政治的そして社会的権力をもつ、高揚したあるいは屈辱を与えられた形象群である。ここから出発したからこそ悲劇と喜劇があったのだし、それは今でも続いている。悲劇は、〈偉大な権力〉と袋小路に陥った欲望との駆け引きである。喜劇は、小さな諸権力、権力の様々な役割、そして欲望のファルス的循環による駆け引きである。悲劇が思考するのは要するに欲望の国家的試練である。喜劇が思考するのは欲望の家族的試練である。中間であると主張するあらゆるジャンルは、家族をそれがまるで一つの国家であるかのように扱い（ストリンドベリ、イプセン、ピランデッロ……）、あるいは国家をそれがまるで一つの家族かカップルであるかのように扱う（クローデル……）。結局のところ、演劇は、生と死のあいだに開かれた空間のなかで、欲望と政治の結び目を思考する。演劇はそれを、出来事という形式で、つまり筋立てや大団円という形式で思考するのである。

（4）観念‐演劇は、テクストや詩のなかでは不完全である。というのも、観念‐演劇は、そこでは、ある種の永遠のなかにとどめられているからだ。だが、まさに、観念‐演劇は、その永遠の形式のなかにしかないうちは、それ自身ではいまだないのだ。観念－演劇は、上演の（短い）時間のなかでしかやって来ない。演劇という芸術はおそらく、永遠性を、それに欠けている瞬間性によって補完しなければならない唯一のものなのだ。演劇は永遠から時間へと移るのであり、その逆ではない。そのとき次のことを理解する必要がある。演出は、演劇の構成要素を支配するのだが――これらの要素はあまりに不均質なので、できうる限りのことではある――、それは一般に信じられているように一つの解釈ではないということだ。演劇行為は、観念－演劇の特異な補完である。どの上演もこの観念がなしうる完成なのだ。身体、声、照明などが観念を完成しにやって来るのだ（もしくは、もし演劇がそれ自体を怠るなら、テクストのなかでそうである以上に観念は未完成になる）。演劇のはかなさとは、一つの上演が始まり、終わり、不明瞭な痕跡だけを終わりに残すということでは全くない。何よりもまず次のようなことなのだ。それは、不完全な永遠の観念が、その完成の瞬間性の試練のなかにあること、である。

（5）時間の試練は偶然性という強固な部分を含む。演劇は常に、少しだけ支配された偶然性による永遠の観念の補完なのである。演出とはだいたいの場合において、いくつもある偶然性を思考で選別することである。これらの偶然性が実際観念を補完するか、それらが観念を隠してしまうかである。演劇芸術とは、観念に欠けている瞬間によって（永遠の）観念を補完する偶然的な舞台的布置と、時おりとても魅惑的でありながら、外側にとどまり続け、観念の不完全性を悪化させてしまう他の布置とのあいだで、造詣が大変深いと同時に盲目的な（偉大な演出家がどのように仕事をしているのか見てみるとよい）選択をすることにあるのだ。したがって、次の公理は真実だと認めなければならない。演劇の上演は決して偶然を廃棄しないだろう。

（6）偶然のなかに公衆も数えなければならない。というのも、公衆は観念を補完するものに属するからである。公衆が誰かによって、演劇的行為が観念－演劇を補完しながら交付するかどうかが決まってくるということを誰が知らないであろうか。しかし、もし公衆が偶然に属しているのなら、公衆はそれ自身、可能な限り偶然的なものであるはずなのだ。公衆のうちに、共同体、公共的実質、整合的集合体といったものを見出すような公衆のどんな概念化にも抗議しなければならない。公衆は、その非整合性そのもののなかで、その無限の多様性のなかで人間性《ユマニテ》を表象するのだ。公衆が（社会として、国家として、市民として）統合されればされるだけ、それは観念の補完に有効でなくなり、そのとき、時間のなかで、観念の永遠性と普遍性を支えなくなるのである。類生成的な公衆、偶然の公衆にしか価値はないのである。

（7）批評は、公衆の偶然的な性格に注意する責務を負っている。その職務とは、良かれ悪しかれ、批評が受け取るところの観念－演劇を、不在と匿名に向けて届けることである。批評は、人々に、今度は自らの番として観念を補完しに来させるのである。あるいは、批評は次のように考えている。この観念は、それを補完する偶然的な経験のなかにある日到来するのであるが、それは、公衆によって拡大した偶然によって栄誉を称えられるには値しないと。したがって批評もまた観念 - 演劇の多形的な到来に向けて作用するのだ。批評は、「最初の観念」からそれに続く他の最初の観念へと移行させる（あるいはさせない）。明らかに、もし批評の宛先が、あまりに限定されており、あまりに共同体的になりすぎてしまっており、あまりに社会的に強調されすぎているのなら（なぜなら、新聞は右派あるいは左派だからであり、あるいは「文化的な」グループとしか関わらないからである）、批評は時おり公衆の類生成に反する形で作用する。したがって我々は、新聞や批評の、それ自体偶然的な多様性を当てにしていくのである。批評が監視しなければならないのは、その偏向性ではない。これは必要とされる。監視するべきなのは、流行に従ってしまっているかどうか、コピーかどうか、続き物の無駄話であるかどうか、「勝利の救助に向けて飛んでいく」精神かどうか、あるいは、あまりに共同体的な観衆への奉仕であるかどうかである。この点に関して、――偶然の形象としての公衆のための――よい批評家とは、気まぐれで予測できない批評家である。彼が課してくる激しい苦しみがどんなものでありえようともそうである。批評家に公平であることを求めてはならないであろうし、彼に、偶然的公衆のなかの教養ある代表であることを求めてもならないだろう。おまけに、もし批評家が観念 - 演劇の到来についてほぼ間違えることがないのなら、彼は偉大な批評家でもあるだろう。どちらにしても、批評家でもその他のでも構わないが一つの同業者組合に、偉大さの責務をその規約のなかに書き込ませようとしても、そんなことは何の役にも立たない。

（8）私たちの時代における主要な問いが、恐怖、苦しみ、運命あるいは孤独であるとは私は思わない。私たちはこれらの飽和状態にいるのであり、それに加えて、観念‐演劇においてこれらすべてのことが絶えず断片化されている。私たちは、合唱付きで、憐れみを呼び起こすような演劇しか目にしていない。私たちの問いとは、肯定するという勇気、局所的なエネルギーに関する問いなのだ。一つの点をつかみ、それをつなぎとめること。私たちの問いとはしたがって、現代悲劇の諸条件に関するものではなく、現代喜劇の諸条件に関するものなのである。ベケットはこのことを知っていたのであり、彼の演劇は、正しく補完されると滑稽なものとなる。私たちがアイスキュロスを蘇らせることができるということを一度ならず確認できることが愉快である以上に、私たちがアリストファネスやプラウトゥスを観に行くことができないということの方が心配なのである。私たちの時代は一つの発明を要求する。舞台上で、欲望の暴力と、局所的な小さな権力をもつ役どころを結びつける発明を。大衆的科学が可能とするあらゆるものを観念‐演劇において伝える発明を。私たちは、できないことではなく、できることの演劇を望んでいる。

（9）現代の喜劇的エネルギーという道に立ちはだかる障害は、典型化を同意に基づいて拒否することである。同意に基づく「民主主義」は、民主主義を構成するそれぞれの主体的諸カテゴリーのどんな典型化も非常に嫌がる。教皇、仲裁役の偉大な医者、人道的施設の有力者、あるいは看護師の労働組合のリーダーに舞台上で手足をばたつかせて、滑稽さの下に埋もれさせてみたまえ！　私たちは、ギリシャ人たちよりも多くのタブーを無限に抱えている。これらのタブーを少しずつ壊していかなければならない。演劇は、いくつかの本質的な典型によって分節化された、生き生きとした状況を舞台上で再構成する務めがある。そして、私たちの時代のために、喜劇における奴隷と召使に相当するものを提示する必要がある。これら除外されている不可視の人々は、観念－演劇の効果によって突然舞台上で知性と力に、欲望と制御になるのだ。

（10）演劇における一般的な困難とは、あらゆる時代において、演劇と国家の関係である。というのも、演劇は常に国家を背にしているからである。この依存の現代的形式とはどういうものであろうか？　これを見定めるのは難しい。社会的な権利要求をしてくるような観点からは逃れなければならない。それは、演劇を、他のものと同様の給料制の職業、公衆の意見に呻き声を上げる分野、文化行政に関わる公務員の地位に貶めてしまうだろう。しかし、政治の変動に対して隷属的にへつらってばかりいるロビー活動を演劇に取り入れるようなただそれだけの専制的行為からも逃れなければならない。そのためには、国家のなかにある様々な曖昧さや分断を最も頻繁に利用する一般的な観念が必要である（したがって、モリエールのような宮廷の喜劇役者は、領主や聖職者の取り巻きと決着をつけなければいけない王と共謀して、高貴、スノッブあるいは敬虔な公衆に平土間の客を対抗させることができるのだ。そして、コミュニストのヴィテーズがミシェル・ギィ[2]によってシャイヨー国立劇場の監督に任命されることだってありうるのだ。なぜならこの趣味の良い人がもつ、政府を持ち上げるまでの度量はジスカール・デスタンの「近代性《モデルニテ》」を満足させるからである、等々)。確かに、国家のもとで観念‐演劇が到来する必要性を維持するためには、一つの観念が必要である(地方分権、大衆演劇、「皆のためのエリート」、以下同様)。この観念は今のところあまりにも漠然としていて、私たちは陰鬱になってしまっている。演劇は自らに固有の観念を思考しなければならない。演劇が、それが思考する限り、文化ではなく芸術の素材としてあるという今日かつてないほどの確信だけが私たちを導くのである。公衆は教養を身につけるために劇場に行くのではない。演劇は素敵なものでもお気に入りのものでもない。演劇は限定された行動に属すのであり、〈視聴率〉とのあらゆる対決が演劇にとって不可避のものとなるだろう。公衆は衝撃を与えられに劇場に来るのである。観念‐演劇に衝撃を与えられるのである。公衆は教養を身につけて劇場から出てくるのではなく、頭をくらくらとさせ、疲労し(思考することは疲れさせる)、物思いにふけった状態で出てくるのだ。公衆は、最大限の笑いのなかでさえも、自らを満足させるものには出会わなかったのだ。公衆は、その存在に気づくことのなかった様々な観念に出会ったのである。

(11)演劇は見たところ映画の不幸なライバルとなっているようだが(演劇と映画はいくつかの

事柄を共有し合っているだけになおさらである。筋立て、シナリオ、衣装、上演形態などである。しかし、それ以上に、俳優たち、これら愛らしいいたずら者たちがいる）、おそらく次のことが映画から演劇を分かつ。つまり、演劇では明瞭な形で、ほぼ物理的に観念との出会いが問題になる一方で、映画では——とりあえず私が主張しようとしていることなのだが——、観念の通過、ほぼ観念の亡霊といったものが問題となるのだ。

第8章　映画の偽の運動

一本の映画作品《フィルム》は、それが可視的なものへと引き出すものによって作動する。イメージはそこでまず切断される。そこでは運動は阻害され、宙づりにされ、引き戻され、停止させられる。切り抜きは現前より本質的である。それは、モンタージュの効果によるだけでなく、フレーミングと、可視的なものに支配された純化がもたらすところの、すでに始めからある効果によるものである。映画にとって絶対的に重要なのは、ヴィスコンティの映画のあるシークエンスのなかでのように、映された花々がマラルメ的な花々であるということであり、この花々があらゆる花束の不在であるということなのだ。私はそれらの花々を見た。しかし、花々が一つの切り抜きに捕らわれているというこの独自の様態によって、そこにそれら花々の単独性と観念性が分かつことなくあることになるのだ。

絵画との総体的な違いとは、思考において〈観念〉を作り出すのは、花々を見ることではなく、花々を見たことである、ということだ。映画は、永続的な過去の芸術であり、それは過去〔passé〕が、通過〔passe〕によって成立するという意味である。映画は訪問〔visitation〕である。つまり、見た、あるいは聞いたはずのものの観念が通過する限りにおいて残存するのだ。可視的なものの内側で観念の通過との接触を組織すること、これが映画の操作であり、その可能性は、一人の芸術家による自らに固有の操作によって発見される。

そういうわけで映画における運動は、三つの異なった方法によって思考されなければならない。一方で運動は、一つの通過、一つの訪問という逆説的な永遠に観念を結びつける。パリで、〈訪問のパサージュ〉という名の通りがあるが、これは〈映画通り〉とも名づけられるだろう。ここでは包括的運動としての映画が問題となっている。他方で、複雑な操作によって、運動は、イメージをそれ自体から免算させるもの、書き込まれているイメージを現前させないものとなる。というのも、切れ目の効果が具現化されるのは運動のなかにおいてであるからだ。ストローブにおいて見られるように、まさにとりわけ可視的なもののくり抜きを見させるのが局所的な運動の明白な停止であるときにそうなのである。あるいは、ムルナウの作品のように、影のできた通りを分割された位相《トポロジー》として組織するのが前進する路面電車であるときにそうなのである。私たちはここで局所的な運動の諸行為を目の前にしているのだと言っておこう。そして最後に、運動とは、他の芸術活動全体のなかにある不純な循環である。運動は、自らの用途から引き離された諸芸術を対照的に暗示するなかに、それ自体免算的な暗示のなかに観念を棲まわせる。

実際、映画が他の諸芸術と結合していることを把握できるような、ある種の一般的な空間の外で映画を思考するということは不可能である。映画は全く特別な意味において七番目の芸術である。映画は、他の六つの芸術に同一の次元で加わることはない。映画はそれらを巻き込むのであり、他の六つに対するプラス－ワンなのである。映画はそれらに対して作動し、それらから始めることで作動する。それは、それらの芸術をそれら自体から免算させる運動によるものなのである。

例えば、ヴィム・ヴェンダースの『まわり道』がゲーテの『ヴィルヘルム・マイスター』に負っているものについて問うてみよう。ここでは映画と小説が問題となっている。映画は、小説がなければ存在しないであろう、あるいはむしろ存在しなかったであろう、ということをまさに認める必要がある。だが、この条件はいったい何を意味しているのだろうか？ あるいはより正確に言うならば、映画固有のどのような条件のもとで、映画作品《フィルム》のこの小説的条件は可能となるのだろうか？ ひねくれた難解な問いである。分かるのは、二つの操作が召喚されているということだ。つまり、物語《レシ》あるいは物語《レシ》の気配があるということ、そして、登場人物がいる、あるいは登場人物の仄めかしがあるということである。映画作品《フィルム》のなかの何かしらのものが、例えばミニヨンという登場人物の反響のなかで映画的に作動している。しかしながら、小説的散文がもつ自由は身体を見させないことにあり、身体の可視的な無限性は最大限に細かい描写からも逃れ去る。映画では、身体は女優によって与えられており、「女優」とは演劇の言葉、上演の言葉である。このように映画作品《フィルム》はすでに演劇的な先取りをすることによって小説的なものをそれ自体から引き離す。ところで、ミニョンの映画的観念はこの引き離しのなかに一部はっきりと宿っているのがまさに見て取れるのだ。この観念は演劇と小説のあいだに置かれているのだが、「どちらでもない」もののなかでもあり、ヴェンダースの芸術全体がこの観念の通過を維持することにあるのだ。

もし今、私が、ヴィスコンティの『ヴェニスに死す』がトーマス・マンの『ヴェニスに死す』に負っているものを問うならば、すぐさま私は音楽の方向に逸れてしまうことになる。というのも、通過の時間性は、冒頭のシークエンスを想起してみれば分かるように、トーマス・マンの散文のリズムよりも、はるかにマーラーの《第五交響曲》のアダージョによって指示されているからだ。観念は、ここでは、愛のメランコリー、土地の精霊、そして死という三つのあいだの関係としてあるのだと想定しよう。ヴィスコンティは、音楽が可視性のなかに開く裂け目のうちにこの観念を組み立てている。それは、そこでは何も言われることがないだろうし、何もテクスト的なものもないゆえに、散文のすき間においてなされる。運動は言語から小説的なものを免算させ、その小説的なものを音楽と場のあいだの運動する境界上に引きとどめる。だが、その次には、音楽と場がそれら固有の価値を交換し、音楽が絵画的な暗示によって廃棄される一方で、あらゆる絵画的安定性は音楽のなかに融解してしまう。これら移動と融解は、最後に観念の通過を完全に現実的なものにすることそのものである。

「運動」という言葉の三つの受け取り方を結ぶものを「映画の詩学」と呼べるだろう。この効果全体が〈観念〉が感覚的なものを訪ねるというところにあるのだ。私は、〈観念〉はそこでは具現化しないということを強調したい。映画は、芸術とは〈観念〉の感覚的形態であるという古典的な命題を否定するのだ。というのも、〈観念〉による感覚的なものの訪問は〈観念〉に何の身体も与えないからだ。〈観念〉は分離可能なものではなく、それはそれが通過するなかでのみ映画にとって存在する。〈観念〉それ自体が訪問なのである。

一例を挙げよう。一人の図体の大きい人が、何度もその存在を告げていた自分の詩をついに読むとき、『まわり道』において何が起きるのだろうか？

もし包括的運動を参照するなら、この朗読は、無秩序な競争、グループ全体の彷徨に対する一つの切り抜きのようなものだと言えるだろう。詩は、余白、中断という効果によって詩の観念として導入されるのだ。そのようにして、どの詩も、コミュニケーションの単純な道具として受け止められている言語の中断であるという観念が通過する。詩は、言語をそれ自体に向けて休止させることなのである。ただし、もちろんそれは、言語が、ここ映画の作品内において、競争、追跡、一種の凶暴な息切れでしかないからであるが。

もし局所的運動を参照するなら、朗読者の可視性や彼固有の動揺が、テクストのなかへ、テクストがそうなるところの匿名性のなかへ自己を破棄せざるをえなくなっている彼自身を描き出していると言えるだろう。詩と詩人は互いに消し合うのだ。そこには存在しているという一種の驚きが残るのであり、この驚きとは、もしかしてこの映画作品《フィルム》の真の主体なのかもしれない。

そして最後に、もし諸芸術の不純な運動について考えるのなら、現実には、映画作品《フィルム》のなかの詩的なものとは、詩のために想定された詩的なものが己から引き剥がされるということであると分かる。というのも、重要なのはまさに次のようなことであるからだ。それ自体小説的なものの不純化である一人の俳優が、詩ではない一篇の詩を読むこと。それは、全く違う別の観念の通過が組み立てられるためなのである。つまり、この登場人物は、自らの狂おしい欲望にもかかわらず、他の者たちに寄りかかったり、その他の者たちから始めることで自分の存在を安定させたりすることができないだろうし、決してできないだろう、ということなのだ。『ベルリン・天使の詩』以前の初期のヴェンダースによく見受けられるように、存在することの驚きは、もしこう言ってよければ、独我論的な要素としてある。それは、かろうじて次のことを言明している。ドイツ人は、完全なる政治的明瞭さのなかでドイツ人としてあると今日発言できないことで、他のドイツ人たちに何の気兼ねもなく同意したり、親交を結んだりすることができない、ということを。映画作品《フィルム》における詩的なものとはこのように、三つの運動の結びつきのなかで、単純ではない一つの観念が通過することなのである。プラトンにおいてと同様に、映画において真の観念は混じり合っているのであり、一義的であろうとするあらゆる試みは詩的なものを解体してしまう。私たちが挙げた例において、この詩の朗読は、諸観念のつながりという一つの観念を出現、あるいは通過させるのである。詩としてあるもの、存在することの驚き、そして国家的な不安定さのあいだには、まさしくドイツ的なつながりがある。シークエンスを訪ねてくるのはこういった観念なのである。そして、この観念の複雑さや混合性が、私たちを思考することへと召喚するものになるためには、これら三つの運動の結びつきが必要なのである。包括的運動、そこでは観念は、自らの通過でしかない。局所的運動、そこでは観念は、そうであるところ以外のもの、そのイメージ以外のものでもある。そして不純な運動、そこでは観念は、本来の場所から飛び出した諸芸術として想定されるもの同士のあいだにある流動的な境界に居着く。

詩が、その使用におけるコード化された技法のもたらす効果による言語上の停止であるのと同様に、映画の詩的なものが結ぶ運動もまさしく偽の運動なのである。

包括的運動は偽である。それは、どんな測定もそれに適さないからである。技術的な基盤構造は、芸術全体が考慮に入れることのない、単調で目立たない映画作品《フィルム》の回転を調整している。切断の単位は、ショットやシークエンスのように、結局、時間の尺度のなかにではなく、隣接、想起、強調あるいは断絶といった原則のなかで構成されるのであり、このことに関する真なる思考は運動というよりもむしろ一つの位相《トポロジー》なのである。撮影が始まってすぐに現れるこの構成《コンポジション》の空間によって濾過されるように偽の運動は生じるのであり、そこでは観念は通過としてしか与えられない。それは次のように言えるだろう。観念がある、なぜなら一つの構成《コンポジション》の空間があるからであると。そして、通過がある、なぜなら包括的時間としてこの空間が交付あるいは展示されるからであると。以上のように、『まわり道』において、すれすれのところですれ違いそして遠ざかり合う電車のシークエンスは構成《コンポジション》の空間全体の一つのメトニミーである。このシークエンスの運動は一つの景色の純粋な展示であり、そこでは主体的な近接と別離が識別できないものとなっているのだ。これは実はヴェンダースにおける愛の観念である。包括的運動はこの景色を偽の語りによって引き伸ばしているに過ぎない。

局所的運動は偽である。それは、イメージとセリフをそれら自体から免算するという効果しかそこにはないからだ。ここには原初の運動、それ自体としての運動もない。あるのは強制的な可視性であり、それは何かしらの再現ではなく——なお、映画は諸芸術のなかで最も模倣的でない——、〔思考が〕辿るための時間的効果を作り出す。それによって、この可視性そのものが、言わば「イメージの外で」保証されるのであり、思考によって保証されることになるのだ。例えば私はオーソン・ウェルズの『黒い罠』のシークエンスのことを考える。そこでは、衰えゆく太った警察官がマレーネ・ディートリヒを訪ねる。局所的な時間は、ここでは、ウェルズが訪ねるのは確かにマレーネ・ディートリヒであり、この観念が、年老いつつある娼婦の家にいる警察官というイメージとは全く一致しないという理由だけで引き出される。したがって、このほとんど儀式とも言える面会の緩慢さは、この見かけのイメージが思考によって踏破されることの結果である。この踏破は、虚構の価値がひっくり返されることによって、そこで問題となっているのが、警察官と娼婦なのではなく、マレーネ・ディートリヒとオーソン・ウェルズであるというところにまで行き着くのだ。そのことによって、イメージはそれ自体から引き剥がされ、映画の現実的なものに戻される。さらにここでは局所的な運動は不純な運動へと向かう。というのも、芸術家という終わりつつある世代という観念が、映画作品《フィルム》としての映画と、布置あるいは芸術としての映画のあいだにある境界、あるいは、映画とそれ自体のあいだにある境界、あるいはさらに、実効性としての映画と過去のものとしての映画のあいだにある境界に置かれるからである。

そして最後に不純な運動であるが、それはすべてのなかで最も偽のものである。というのも実際にはある芸術から他の芸術への運動を作り出すようなやり方は一切存在しないからである。他の芸術は閉じている。どんな絵画も音楽には変化しないし、どんなダンスも詩には変化しない。この意味での直接的などんな試みも無駄である。それにもかかわらず、映画は確かにこれら不可能な諸運動を組織化するものなのだ。しかしそれは、いまだ一つの免算でしかない。他の芸術を暗示的に引用するということは、映画の構成要素であるのだが、それら諸芸術をそれ自体から引き剥がすのであり、残るものはまさしく使い減らされた境界なのである。そこを、映画、そして唯一映画のみがその訪問を許すような観念が通過するのである。

このように、映画作品《フィルム》のなかに存在するものとしての映画は、三つの偽の運動を結びつける。この三重性とは、それによって映画が、純粋な通過として、私たちに強い印象を与えるところの混合性、つまり観念的な不純性を交付してくるところのものなのである。

映画は不純な芸術である。それは、諸芸術のなかの、まさしく寄生的で脆いプラス－ワンなのである。しかし、その現代芸術としての力とはまさに、あらゆる観念の不純性から観念をそれが通過するときに作り出すことなのだ。

しかし、この不純性は、〈観念〉のそれのように、一本の映画作品《フィルム》を語るだけのために、奇妙な迂回、プラトンが哲学的な必然性として確立したこの「長い迂回」を強いてはこないだろうか？　映画批評は常に、感情移入についてのおしゃべりと歴史学的にテクニックを見ることのあいだで宙づりになっているのがよく分かる。物語（避けようのない小説的な不純性）を語ったり、俳優陣（演劇の不純性）を褒めちぎったりすることだけが問題となっているのでない限り。それほど容易に映画作品《フィルム》について語ることができるのだろうか？

映画作品《フィルム》について語る最初のやり方は、「私はそれが好きだった」あるいは「これは私を感激させはしなかった」と述べることである。この発言は曖昧である。なぜなら「好む」という規範はその基準を隠れたままにするからである。判断はどのような期待に対して下されるのか？　推理小説も、好みに合うかどうか、良いのか悪いのか、である。この区別は、対象となる推理小説を文学芸術の傑作にすることはない。この区別はむしろ、質や、それと一緒に過ごした短い時間の色合いを示す。そのあとにどうでもよい記憶の喪失が来る。この発言の最初の時を、曖昧な判断と呼ぼう。この判断は意見の必要不可欠な交換に関わっている。この交換とは、その日の天気について考察するときからすでに、人生は快適で儚い時間から何を約束し、何を免れさせてくれるのかといった話を頻繁にするようなものだ。

映画作品《フィルム》について語る二つ目のやり方は、まさしくこの曖昧な判断に対してその映画作品《フィルム》を弁護するというものだ。示すこと、それは何かしらの議論をすでに想定するものなのだが、この作品は楽しみと忘却のあいだに開いた穴のなかに位置づけられるだけのものではないと示すことである。作品が良い、そのジャンルのなかで良い出来だというばかりでなく、この作品に関して何らかの〈観念〉を予見あるいは固定させるのである。曖昧な判断が、俳優陣、効果、驚いたシーン、語られた物語に優先的に言及するのに対して、この調子の変化を示す表面上のしるしの一つに、作品の作者が作者として言及されるということがある。この二番種の判断は作者がその象徴であるところの特異性を示そうとする。この特異性は曖昧な判断に抵抗するものである。それは、映画作品《フィルム》について述べられることを、意見の一般的な運動から分け隔てる。この分割は、特異性を感知し、それを名づける観客を公衆の集まりから切り離すのである。この判断を弁別的な判断と呼ぼう。それは映画作品《フィルム》を様式として考察するための議論である。様式は曖昧なものと相反するものである。様式を作者と結びつけながら、弁別的な判断は、映画の何かしらを我々が救うことで、愉しむという忘却に映画が運命づけられないようにすることを提案する。映画のいくつかの名が、いくつかの形象が、時代のなかで注目されることを提案するのだ。

実際は、弁別的な判断は曖昧な判断の弱い否定でしかない。経験が明かすところによれば、この判断は、作品よりも作者の固有名を、映画の芸術よりも様式論の様々に分散した要素を救うものである。作者にとっての弁別的判断は、俳優にとっての曖昧な判断と同列であると私は言いたくなってしまう。つまり一時的な想起に必要となる索引であるということだ。結局、弁別的な判断は、意見の洗練されたあるいは差別化された形態を規定する。それは、「質の良い」映画を指し示し、構成する。しかし、質の良い映画の物語は最終的にどんな芸術的な布置も描くことはない。それはむしろ映画批評の、常に驚くべき歴史を描くのだ。というのも、あらゆる時代において、批評こそが弁別的判断に指針を提供するものだからである。批評は質を名づける。しかし、それにもかかわらず、批評はそれ自体曖昧過ぎるままなのである。芸術は最良の批評が想定するものよりも限りなく稀有のものである。今日、サント＝ブーヴのような昔の文芸批評家のものを読むことで我々はこのことをもうすでに知っている。彼らの質に対する明白な感覚、彼らの弁別的な力強さがもたらした彼らの生きた世紀についてのヴィジョンは、芸術的には愚かしいものなのである。

事実、第二の忘却は、確かに曖昧な判断が引き起こす忘却とは違うのだが、それでも結局は断固とした持続のなかで弁別的な判断の効果を覆ってしまう。作者の墓場としての質はある時代の芸術よりも、その時代の芸術的なイデオロギーを指し示すのだ。イデオロギー、そのなかで常に真の芸術は一つの抜け道である。

したがって、映画作品《フィルム》について語る三つ目のやり方を想像しなければならない。これは曖昧なものでも弁別的なものでもない。私はそこに二つの外部的特徴を認める。

まず、これまでのような判断はこのやり方の関心を引くものではない。というのも、弁護的なあらゆる姿勢は放棄されるからだ。良い映画作品《フィルム》であるとか、好みであるとか、曖昧な判断の対象として測れるものではないとか、見極める必要があるとか、それらすべては、我々はその作品について語っているという単純な事実のなかで暗黙に想定されることであって、成し遂げるべき目的では全くない。過去に作られた芸術的な作品に適用されるのは規範ではないだろうか？　アイスキュロスの『オレステイア』やバルザックの『人間喜劇』が「好み」であるということが意味のあることだと無理にでも思うようにしているのだろうか？　これらの作品が「正直悪くない」と？　曖昧な判断はしたがって馬鹿げている。しかし、弁別的な判断も同様である。マラルメの様式が、カッコつきでだが、その時代に最も素晴らしい質のものとして通ったシュリ・プリュドムの様式よりも優れていると苦労して証明することは必ずしも必要なことではないのだ。したがって芸術的確信という無条件のコミットメントのなかで映画作品《フィルム》について語ることになるのだろうが、それは、作品を確立するためなのではなく、そこから一連の帰結を引き出すためなのである。規範的で曖昧な判断（「これは良い」）あるいは弁別的な判断（「これは優れている」）から、公理的な態度へと移行することだと言えるだろう。これは、ある一つの映画作品《フィルム》は思考にとってどのような効果をもたらすのかを問うものである。

それゆえ公理的な判断のことについて話そう。

もし映画が、訪問あるいは通過として〈観念〉を扱い、それがどうしようもない不純さという要素のなかで行われるなら、一本の映画作品《フィルム》について公理的に語ることは、一つの〈観念〉がこの映画作品《フィルム》によってそのように扱われるところの固有の方式がもたらす諸々の帰結を検証するということになるだろう。カット、ショット、包括的あるいは局所的運動、色、身体的な行為項、音響、などといった形式に関する考察は、これが、〈観念〉に「触れること」、観念の生まれつきの不純さを捉えることに貢献する限りにおいてのみ挙げられなければならない。

一例を挙げよう。ムルナウの『ノスフェラトゥ』のなかで、死者たちの王子が映っている光景が近づくところを強調する一連のショットである。草原の過度の露出、すくんだ馬、荒々しいカットといったそれらすべては、切迫に触れることの、夜によって先取りされた日の訪れの、生と死のあいだにあるノーマンズランド〔no man's land〕の〈観念〉を展開する。しかし、それと同時に、この訪問の不純な混成もあるのだ。それは、明らか過ぎるほどに詩的な何かであり、ヴィジョンをその確立された輪郭のなかで私たちに見せてくる代わりにヴィジョンを期待と不安へと導く一つの宙づり状態である。私たちの思考はここでは瞑想的なものではなく、それ自身突き動かされ、〈観念〉を捕らえるというよりはむしろ〈観念〉を伴って旅をする。ここから私たちが引き出す帰結によれば、まさしく思考とは、〈観念〉を横切る思考−詩の可能性であり、それは、切り抜きというより喪失することによる把握なのである。

映画作品《フィルム》について語ることは、度々あることだが、作品が、私たちをどのようにある〈観念〉へとその喪失の力のなかで呼び出すのかを示すことである。例えば、細部に至るまで全面的に与えられる〈観念〉の芸術の代表としてある絵画とは逆なのだ。

　この対照性は、一本の映画作品《フィルム》について公理的に語ることに伴う最も困難なこととして私が把握しているもののなかに私を連れ込む。それは、映画作品《フィルム》を映画作品として語るということである。というのも、作品が一つの〈観念〉の訪問を実際に組織するとき——そしてこれは、私たちがそれについて語る以上、私たちが想定することである——、作品は常に、一つのあるいは複数の他の芸術に対して免算あるいは欠如の関係のなかにあるからなのだ。欠如の支持体がもつ完全さではなく、欠如の運動を掌握するということは、最もデリケートなことである。いわゆる「純粋な」フィルム的操作に導く形式主義的なやり方は袋小路に陥るのでなおさらである。次のことをもう一度繰り返そう。映画において何も純粋でないのは、内部でそして全面的に映画が、諸芸術のプラス-ワンという状況に感染させられているからである。

　すなわち、再び例として取り上げるが、ヴィスコンティの『ヴェニスに死す』の冒頭にある運河の長い通過である。通過する観念は——そして作品の残りはすべてこの観念を縫合すると同時に解除することになる——、寿命のなかでするべきことを成し、したがって、人生の終わりか別の人生に向かうところで宙づりになっている一人の男性の観念である。ただし、この観念は、いろいろな素材が質的にばらばらの状態で集まることによって組織されている。俳優ダーク・ボガードの顔が認められるが、この顔が担うのは不透明性と問いかけという特殊な性質であり、我々が欲するにしろしないにしろ、俳優の芸術にまさに属するものである。ヴェネチア様式の芸術的な影響が数えきれないほど見出されるが、実はそれらすべては、グアルディやカナレットのなかにすでに現れている絵画的テーマやルソーからプルーストまでの文学的テーマといった、すでに完成し、安売りされ、歴史から引き出されるもののテーマに結びつけられている。私たちは、ヨーロッパの立派な高級ホテルに滞在するこの種の旅行者のなかに、例えばヘンリー・ジェイムズの主人公たちが織り上げる繊細な不確かさの反映を見て取ることもできる。マーラーの音楽が奏でられるが、それもまた、完全なメランコリー、調性された交響曲そしてその音色の装置（ここでは弦楽器のみ）による膨張された激しい完了を示す。これらの素材がどのように互いに増幅しつつ侵食し合うのかを、過剰による一種の分解のなかに示すことができるし、この分解がまさに、通過そして不純さとしての観念を与えてくるのだ。だが、ここで示される固有のものとしての映画作品《フィルム》とは何なのだろうか？

結局のところ、映画は撮影と編集でしかない。他には何もない。他に「映画作品《フィルム》」であるものはないと言いたいのだ。したがって、公理的な判断に従って考察される映画作品《フィルム》とは、撮影と編集にしたがって観念の通過を展示するものである、ということを主張しなければならない。観念はどのようにその撮影へと、さらにその超‐撮影＝驚き〔sur-prise〕へとやって来るのだろうか？特に、諸芸術の雑多なプラス‐ワンのなかで撮影され編集されるということが私たちにどのような特異なものを明かしてくるのだろうか？　そして、この観念について私たちは事前には知りえなかったり、あるいは思考できなかったりするのはいったいどういうことなのか？

ヴィスコンティの作品の例のなかで明らかなのは、撮影と編集が一つの持続を確立するために一致して作用しているということである。ヴェネチアの空虚な永続と同質である過度な持続は、マーラーのアダージョのよどみと同質のようでもあり、際限なく顔しか要請されない不動で無為な俳優のパフォーマンスのようでもある。したがって、その存在あるいは欲望が宙づりになっている男の観念としてここで捉えられているものは、実は、このような男は自ら不動であるということなのだ。かつての能力は枯れ果て、新たな可能性も存在しない。他の芸術がそれらの欠陥に委ねられている組合わせのなかで構成された映画作品《フィルム》の持続とは、主体的な不動性の訪問なのである。気まぐれな出会いに委ねられたときの男はこうなるのだ。サミュエル・ベケットが言いそうなことだが、男は、「黒のなかで不動」なのであり、来ればの話だが、彼の死刑執行人、つまり彼の新たな欲望の計り知れない甘美さが彼のもとにやって来るまでは動かないのである。

ところで、届けられるのがこの観念の不動の側面であるということがまさしく、ここで通過を生み出すところのものなのである。他の諸芸術は、贈与として〈観念〉を届けるか――これらの芸術の極みとして絵画がある――、〈観念〉の純粋な時間を発明し、思考可能なものの支配圏の布置を探査する――これらの芸術の極みとして音楽がある――かどちらかであるということを我々は示すことができるだろう。映画は、それに固有の可能性、捕捉と編集において他の諸芸術を見せることなく混ぜ合わせることのできる可能性によって、不動のものの通過を組織することができるし、またそうしているはずなのである。

しかし、これは通過の不動性でもある。そのことは、ストローブのいくつかのショットが維持する、文学テクスト、その韻律、その進行との関係をみれば容易に見て取ることができるだろう。あるいは、タチの『プレイタイム』の冒頭が、群衆の動きと、原子の構成と呼ぶことのできる無内容さのあいだに作り上げる弁証法的なものを見ても分かることだろう。それによってタチは、空間を不動の通過のための条件として扱っている。映画作品《フィルム》を公理的に語るということは、常に失望させるものであるだろう。というのも、それは、作品を、主要な諸芸術の混沌としたライヴアルにしか仕立て上げられないように仕向けられているからである。しかし、私たちは次のような筋道を掴むことができる。それは、この作品がこの観念との旅をどのように私たちにさせるのかを示すことであり、したがって他の何ものも私たちに発見させることのできないものを、私たちは発見するのである。つまり、プラトンがすでに考えていたように、〈観念〉の不純なるものとは、常に不動性が通過すること、あるいは通過は不動であるということである。そして、そのことのために私たちは諸々の観念を忘れてしまうのである。

忘却に抗して、プラトンは原初のヴィジョンと想起の神話を召喚する。映画作品《フィルム》について語るということは常に想起について語ることである。これこれの観念は、どのような到来、どのような想起を私たちに対して可能とするのだろうか？　まさに真なる映画作品《フィルム》が観念ごとに扱うのはこの点である。不純なるもの、運動と休息、忘却そして想起のつながりを扱うのだ。私たちが知っていることは、私たちが知ることのできることと同程度のものでは全くない。映画作品《フィルム》について語るということは、思考の供給源が他の諸芸術としてひとたび保証されるならば、思考の供給源よりも思考の可能性を語ることになるのだ。そこにあるもの以外に、そこにありうるものを指し示すことである。あるいはまた、純粋なるものの不純化がどのように他の純粋性への道を開くのかを指し示すことである。

そのことによって映画は、次のように言われるような文学的要請をひっくり返してしまう。つまり、不純な言語の純粋化が前代未聞の不純さに道を開くように、という要請である。さらにリスクも逆となる。映画、この偉大な不純化装置は、好まれ過ぎるというリスク、堕落の形象となるリスクを常に抱えている。真の文学は厳格な純粋化であるが、そこには芸術の効果が切れ、散文（あるいは詩）が哲学と縫合されるところの概念へと近づくことのなかで道に迷うリスクがある。

サミュエル・ベケットは映画を強く愛し、さらにタイトルが非常にプラトン的である『フィルム』という一つの映画作品《フィルム》を撮影 - 執筆したが、結局のところ、遥かな高みに達した文学がその身を晒す危機の付近でうろつくことを好んだ。もはや前代未聞の不純さを生み出すのではなく、概念の明らかな純粋性のなかにとどまること。要するに哲学化すること。したがって、諸真理を生みだすというよりもむしろ諸真理の位置を割り出すこと。境界におけるこの彷徨に関して、『いざ最悪の彼方へ』は最大限に実現された証人であり続けている。

第9章　存在、実存、思考――散文と概念

(a) 諸言語のあいだと存在の速記録

サミュエル・ベケットは『いざ最悪の彼方へ〔*Worstward Ho*〕』を一九八二年に書き、一九八三年に出版している。遺言的なテクスト『なおのうごめき〔*Soubresauts*〕』と一緒に刊行した。ベケットはこれをフランス語に訳すことはしなかった。結果として『いざ最悪の彼方へ』は、サミュエル・ベケットの母国語としての英語がもつ現実的なものを表現している。私が知る限り、サミュエル・ベケットによってフランス語で書かれたテクストは彼自身によってすべて英語に訳されている。逆に、彼がフランス語に訳さなかった英語のテクストはいくつか残っており、それ

らのテクストは、この異例のフランス語作家にしてみれば、英語のなかのより原初的な何かの残滓のようなものとしてあるのだろう。結局、このテクストをフランス語にするのは難しすぎるとサミュエル・ベケットは考えたのだと「言われて」いる。『いざ最悪の彼方へ』は、あまりに特異な形で英語と結ばれているので、それを言語的に移し替えることはとりわけ困難なのである。

私たちが検討するのはフランス語ヴァージョンである以上、これをその言葉のなす詩学のなかで捉えることはできない。私たちが関わるフランス語テクストは、本当に見事なものであるが、正確にはサミュエル・ベケットのものではないのだ。テクストは部分的に翻訳者であるエディット・フルニエに属する。私たちはこのテクストをその言葉を通して今すぐに取り組むことはできない。というのもここでは現実に翻訳が問題となっているからだ。

ベケットの場合、翻訳の問題は複雑である。というのも彼自身二つの言語のあいだの隔たりのなかに住まうからである。どのテクストが翻訳であるのかを知ろうとするのはほぼ決定不能な問いである。しかし、詳細に見るなら、フランス語の「変形《ヴァリアント》」と英語のそれのあいだには重要な違い、言語の詩学にだけでなく、哲学的基調にも関わる違いがあるにもかかわらず、ベケットはある言語からもう一つの言語への通行〔passage〕を常に「翻訳」と呼んできた。英語のテクストのなかには、フランス語のテクストではその通りには現れない一種のユーモラスな語用があり、フランス語のテクストの概念的な率直さは、私からすれば、英語のテクストでは緩和され、時おりほんの少し柔らかくなっている。『いざ最悪の彼方へ』に関して言えば、私たちは、フランス語に変形されていない、完全に英語だけのテクストしかもっておらず、慣用的な意味での翻訳しかない。したがって、言葉よりも意味に頼らざるをえないのだ。

二つ目の困難とは、このテクストが、完全に意識的な形でなされた概要的なテクスト、つまり、サミュエル・ベケットによる思考の試み全体の総括をするテクストであるということである。このテクスト全体を検討するには次のことを示す必要がある。つまり、このテクストは、以前に書かれたテクストへの暗示と、それらのテクストに関する理論的仮説の再開とが密集する網の目によって織られており、これらの仮説は再検討されたり、場合によっては反駁、修正あるいは精錬されたりするのである。そして、このテクストは一種のフィルターのようなものであり、そこをベケットが書いたものの多様性が通ることによって、この仮説的な基礎システムに還元されるのだ。

そういうことから、もしこの二つの困難を合わせるなら、『いざ最悪の彼方へ』を一つの短い哲学的概論として、存在の問いの速記録として扱うことが完全に可能となる。それは、以前のテクストがそうであるような一種の潜在的な詩によって支配されているテクストではない。例えば、『見違い言い違い』がそうであるような、言語の特異性と、言語の比較から生じうる力のなかに入り込んだテクストではない。それは、とりわけ英語のなかで、その極度にリズミカルな入念さによって補われた、確固とした抽象的な生硬さをある程度保持したテクストなのである。思考の布置であるよりもむしろ思考のリズムを与えようとするテクストであると言えるだろう。『見違い言い違い』にとってはこのことが逆である。したがって私たちは、このテクストを裏切ることなく、概念的な方法で取り組むことができる。このテクストを原則的に、存在の問いに関する思考の網あるいは速記録としてあるもののように扱うことはこのテクストに適っている。というのも、これはベケットの作品全体の目次を構成するからである。私たちが失うもの、それを私はリズムと呼んだのだが、それは、韻律という文彩であり――言語の分節はいくつかの単語からなり、大抵の場合、極端に短い――、したがってそれに固有の速記録的な文彩である。英語において、言語の完全に特殊なある種の打鍵とも一致する速記録的な文彩である。

(b) 言うこと・存在・思考

『最悪の方へ〔*Cap au pire*〕』(『いざ最悪の彼方へ』の見事な翻訳である)は、極めて密度が高く、後年のベケットのどの作品にも言えるように、段落ごとに組織化された骨組みを提示している。一度読んでみると、この骨組みが、問いを通して(「問い」から何を理解するべきかは後ほど述べる)、中心となる四つの概念的テーマを展開しようとしていることがはっきりと分かる。

最初のテーマは、言うことの命令だ。これはとても古いベケット的テーマであり、最も知られているものであるが、ある意味では最も正しく評価されていないテーマでもある。言うことの命令とは、作品の書き出しとして、次に続くものとして作品を決定づける「まだ」の要請である。ベケットにおいて始まりとは常に「続ける」ことなのだ。何ものも、まだの要請あるいは再び－始めることの要請のなかにないもの、自ら始まったことがない始まりという想定のなかにないものを始めることはない。テクストは言うことの命令によって包囲されていると言うことができるだろう。それはこう始まる。

さあ。まだ。まだ言う。まだ言われる。まだどうにか。(1)

そして次のように終わる。

もうどうにも言われず。(2)

したがって、『最悪の方へ』を「まだ言われる」から「もうどうにも言われず」への推移〔passage〕と要約することもできる。テクストは、「もうどうにも」の可能性を「まだ」の根本的な変質として出来させるのだ。（どうにも、という）否定はもはやまだがないということを明かしている。だが実際は、「言われる」とあるように、この「もうどうにも」はまだの変形であり、言うことの命令に束縛されたままなのである。

二つ目のテーマ、ベケットの作品全体のなかで最初のテーマと直接的にそして必然的に関連するものであるが、それは純粋な存在、それ自体としての「ある」である。言うことの命令は直ちに、その見地からすると言うべきことがあるところのものに関連づけられる。つまり、まさしく「ある」である。言うことの命令があるということの他に、「ある」があるのだ。

この「ある」、あるいは純粋な存在は、二つの名をもっており、一つだけではない――これが大きな問題である――、それらの名は、フランス語訳では虚空〔vide〕と薄暗さ〔pénombre〕である。(3) 次のことを直ちに指摘しておこう。つまり、この二つの名、虚空と薄暗さを観察すると、少なくとも見かけ上、一つの従属が認められる。虚空は、本質的な試練の計画であるところの消え去ることの実践のなかで、薄暗さに従属しているのだ。その方針は次のようなものである。

> 虚空は消え去ることがない。薄暗さが消え去るのをのぞいて。そのときすべて消え去る。(4)

したがって、消え去ることという決定的な試練に従うことで、虚空は自律性をもたない。それは、すべての消滅に依存しているのであり、この消滅はそれ自体、薄暗さの消滅なのである。もし、「すべて消え去る」、つまり虚無として考えられる「ある」が薄暗さと名づけられるのなら、虚空は必然的に従属的に命名されたものということになる。もし、「ある」がその虚無という試練のなかにあるものと認めるのなら、消え去ることが薄暗さの消滅に従属しているということから、「薄暗さ」は存在の卓越した名であることになるのだ。

三つ目のテーマは「存在のなかに書き込まれたもの」と呼ぶことのできるものである。存在の位置から、あるいは薄暗さのなかに見えるものから提示されるものが問題となる。書き込まれたものは、薄暗さが、薄暗さとして、現れることの秩序のなかで配置するものである。「薄暗さ」が存在の卓越した名である限り、書き込まれたものは薄暗さのなかに現れるものである。しかし、虚空の間《はざま》〔intervalle〕のなかに与えられるものが問題となっていると言うこともできる。というのも、事物は「ある」の二つの可能な名によって言明されるからである。薄暗さのなかに現れるもの、薄暗さが影として現わさせるものがある。つまり薄暗さのなかの影である。そして、現れるものの隔たりのなかに、間《はざま》としての虚空を現わさせるものがあり、したがって、これは、虚空が差異としてあるいは分離としてしか割り当てられないのなら、虚空の壊乱として現れることになる。このようにして現れるものの総体である宇宙は、ベケットによって次のように名づけられるだろう。影によって荒らされる虚空、と。影によって荒らされる虚空というこの様式は、虚空が、影のあいだの間《はざま》の形象に還元されるということを意味する。しかし、影同士のこの間《はざま》は結局薄暗さでしかなく、このことは、存在の原‐原初の展示〔exposition〕としての薄暗さに送り戻されることになることを決して忘れないでいよう。

存在のなかに書き込まれたもの——影——は数えられるものであるということも言える。数の学、影の数の学はベケットの根本にあるテーマである。そのものとしての存在ではないが、しかし、存在のなかに提示されているか書き込まれているもの、それは、数えられるもの、複数性のなかにあるもの、数の範疇にあるものである。数は明らかに虚空と薄暗さの属性ではない。虚空と薄暗さは数を数えさせないからだ。他方で存在のなかに書き込まれたものは数えられる。これは原初的に一、二、三と数えさせるのだ。

最後の変形《ヴァリアント》であるが、存在のなかに書き込まれたものは悪化する可能性があるということだ。「悪化する」——『最悪の方へ』の本質的な言葉である、悪化する、はテクストの根源的な働きである——は、諸事物のなかで、ということを意味し、そして原則的に、言われたことよりさらに悪く言われるということでもある。

この属性の多様性のもとで——薄暗さのなかで見えるもの、虚空に関して言えば間《はざま》をなすもの、数えられるもの、悪化する、あるいは、言われたことよりさらに悪く言われる可能性のあるもの——類生成的《ジェネリック》な名がある。「影」である。影は薄暗さのなかで展示されるものであると言うことができる。これは、薄暗さという名のもとで展示された「ある」の複数なるものである。『最悪の方へ』のなかで、影の呈示は最小限のものになるだろう。三まで数えるのだが、なぜこれ以下ではないのか私たちは見ることになるだろう。カテゴリー的に数えられるものを数え出したら、少なくとも三まで数えなければならないのである。

最初の影は、立っている影であり、一として数えられる。実際は一なるものである。立っている影は「膝まずく」こともする——この変身に驚かないようにしよう——、あるいは「曲がった背中」にもなる。これらは異なった名である。状態であるより名であるのだ。一として数えられるこの影は、四五ページから、これは年老いた女であると述べられる。

　女のであることを示すものは何もないがだが女の[5]。

そしてベケットは加える。これはもっと後ではっきりすることである。

　柔らかくなる柔らかいものから滲み出てきたその言葉とは女の[6]。

これらは一の根本的な属性である。一、それは、膝まずく影と一人の女である。それから二として数えられる二人組がいる。二人組は、二と数えられる唯一の影である。ベケットは言うだろう。「二つは自由二つは一つになって[7]」、一つの影である。そして、二人組の命名のときから早くもこの二人組を構成する影は年老いた男と子供であるということが明かされる。一が女と名づけられるのはずっと後になってからである一方、二は、「年老いた男と子供」とすぐさま名づけられることに注意しよう。逆に、それが男と子供だとは何も証明できなかったと、後に述べられる。どちらにしても、男、女、子供の確定に関しては何も証明しないのだが、そのようになっているのだ。ただ単純に、言うことの様態が、一－女と二－男－子供に対して同じではないということなのだ。一に関して、これが年老いた女であることはずっと後になってからでしか言われず、二人組に関しては、その構成（老人－子供）は直ちに明言されるのである。決定的な言明は遅れるということなのだ。何も証明しない、だけれども、である。このことは、男性という有性の立場は明白であり、それに関する証拠を与える不可能性は理解し難いことであることを指し示している。他方で、女性という有性の立場は明白でなく、それを証明する不可能性は同程度に明白なのである。

二人組のなかでは、明らかに、他者、「一と他《た》」が問題となる。他《た》は、ここではその内部の二重性、それが二であるという意味である。それは、同である二なのだ。繰り返すと、それは「二つは自由［影］二つは一つになって」なのだ。しかし、逆に、二をなす一でもある。老人と子供である。老人と子供は影としての同一の人物であるということを前提としなければならない。つまり、幼年という端と老年という端にある影という人生である。人生は、それを二つに分割するもののなかで、そして自己自身に対する他性としての二人組を統一するもののなかで与えられるのだ。

最終的に、存在のなかに書き込まれたものは可視的な人間性であると言うことができる。一と屈む女、数の統一のなかの二重としての男である。ベケットにおいて常に見られるように、妥当な年齢は極端である。すなわち、子供と老人である。成人は、ほぼ無視された意味をなさないカテゴリーなのだ。

最後に四つ目のテーマであるが、それは予想されるように、思考である。思考は、それにとって、そしてそのなかで、可視的な人間性の布置と、言うことの命令が同時にあるところのものである。

思考は一つ目と三つ目のテーマに対して精神を集中させることである。言うことの命令があり、存在のなかに書き込まれたものがある、そしてこのことは、思考に「とって」と思考の「なか」でのことなのだ。ベケットの問いとは次のようなものだと直ちに指し示しておこう。思考（四つ目のテーマ）は、言うことの命令（一つ目のテーマ）と可視的人間性、つまり影（三つ目のテーマ）の配置についての焦点化あるいは精神の集中であることを知るならば、思考は、二つ目のテーマ、つまり存在の問いについて何を言明することができるのだろうか？　この問いが、テクスト全体に渡る最も幅のある構造をなしている。問いの哲学的構築は次のようになされるだろう。言うことの命令と、可視的人間性の往来である影の変化が同時に与えられるところの思考の観点からすると、「ある」としての「ある」に関しては何が言明されるのだろうか？

『最悪の方へ』の形象化において、思考は一つの頭によって表象される。「頭というもの」あるいは「頭蓋というもの」とも言われるだろう。そして思考は、繰り返される形で「すべての座とすべての胚種」と呼ばれる。思考がこのように呼ばれるのは、それが、そのために言うことの命令と影があるところのもの、そしてそのなかに存在の問いがあるところのものであるからだ。

思考の構成はどうなっているのだろうか？　もし思考を、ベケットの組織的な方法である単純化の方法に従って絶対的に原初的な構成要素に還元してしまうのなら、そこには可視的なものがあり、言うことの命令がある。そこには「見間違えられ、言い間違えられる」がある。思考とは、「見間違えられ、言い間違えられる」であるのだ。その結果、頭の呈示は本質的に、一方ではその目、他方ではその脳みそに還元され、そこから言葉が滲み出ることになる。脳みそに開いた二つの穴、これが思考である。

ここから二つの反復するテーマが出てくる。目というテーマと、言葉の滲出というテーマであり、これらの出所は脳みその柔らかな物質である。これが精神の物質的な形象である。

これらのテーマを明確にしよう。

目は「固く閉じた凝視する」と言われるだろう。凝視の「運動」は『最悪の方へ』のなかで根本的なものである。それは見ることそのものを指す。この「固く閉じた凝視する」は、明らかに不調和な並置であるのだが、これはまさしく見間違えられることの象徴なのだ。見ることは常に見間違えることであり、したがって、見る目は「固く閉じた凝視する」なのである。

見ることの次に思考の二番目の属性である言葉に関しては、「どうにか精神の柔らかい部分からそれらが滲み出す」と言われるだろう。「固く閉じた凝視する」目の存在と、言葉が「どうにか精神の柔らかい部分から［……］滲み出す」というこれら二つの文言は四つ目のテーマ、つまり、頭蓋の実存という様態における思考というものを明確にする。

最も重要なのは、頭蓋が補足的な影であるということを確認することである。頭蓋は、女の屈みの一と二人組の形をなした老人と子供という他《た》に加えられて、三をなす。思考は常に第三としてやってくる。二四ページに本質的な概要を見つけることができる。

今からは膝まずく一人のかわりに一。同様に今からは二人組のかわりに二。一つになってとぼとぼ歩いている二人組。同様に今からは頭のかわりに三。(8)

ベケットが二人組を数えるとき、彼はまさに、二人組は二のもとに現れるが、二ではなく、二というものであると指し示す。二人組は二であるが、一に加えられても三をなさない。二人組を一に加えても、常に二であり、一のあとに来る他《た》の二なのだ。ただ頭だけが三をなす。三、それは思考である。

(c) 必要不可欠な思考——三

指摘しなければならないのは、ベケットのテクストは根源的な試みによって機能させられることがよくあるが、ベケットがテクストそれ自体の内部でその試みを放棄してしまうということである。そのようにして頭は付け加わる、つまり第三として、それなしで済まされる物質的試み、場と身体しかそこに残らないであろう試みのあとにやって来るのだ。

冒頭でベケットは述べている。一つの場、一つの身体と。「精神はない。一つもない[9]」。「とにかくそれだけは得た」と理解するべきだろう。まるで全面的な物質性の空間のなかにいるかのように物事は進むだろう。しかしこの試みは失敗するだろう。結局頭を加えざるをえないのだ。このことは、ベケットの語彙によれば、精神の残滓が常にあるということであり、それはまさしく、一方で「固く閉じた凝視する」目であり、他方で柔らかい物質から滲み出る言葉のまだなのである。

頭によって形象化されたこの精神の残滓は、影の〈一〉と〈二〉に必要とされる補足となるだろう。ベケットはこの避けられない〈三〉を演繹する。だが、もし頭が三を数えるなら、頭はそれ自体薄暗さのなかにいなければならない。頭は薄暗さの外ではないのである。テクストのジグザグな通路のうちの一つは、純粋な物質主義的試み——場と身体だけしかない——が頭によって補足されなければならなくなり、したがって二ではなく三を数えなければならなくなるということである。物質主義はそのとき賭け金を変えるのだ。それが要請するのは、場の統一性のなかで頭をつなぎとめるということであり、頭を他の場にするのではないし、生来の二元論を書き込むことでは決してない。たとえ、三まで行く必要があり、三（思考）の強い誘惑が他のところで二を数えることであるとしても。これがテクストの決定的な形而上学的緊張である。

これらの素材は、テクスト自体のなかで、概要によって目印がつけられているテクストのなかでベケットによって何度も並べ立てられている。例えば三八ページである。

それが分泌する言葉が言うことが何か。虚空と言われたものが何か。薄暗さと言われたもの。影と言われたもの。すべての座と胚種と言われたもの。[10]

私たちはここで作品を構成するテーマ全体を目の前にしている。「ある」、つまり、あるのは、言うことの命令のもとで「それが分泌する言葉が言うこと」である。存在の問い、つまり、「虚空と言われたもの」と「薄暗さと言われたもの」である。この「ある」のなかの「ある」の問い、あるいは外観の問い、つまり「影と言われたもの」である。最後に、「すべての座と胚種と言われたもの」は、頭と頭蓋の問い、思考の問いである。

これらすべてが、言うことの「まだ」のための方向を固定する最小の装置としてベケットが考えるものである。最小の装置、ほんのわずかな装置、つまり問いがあるための最悪のものである(ほんのわずかなものと最悪なものが同一のものであることは後に見ることにする)。何らかの問いのごくわずかの、あるいは最小の意味があるために。

(d) 問いと問いの諸条件

問いとは何だろうか？　問いとは、言うことの「まだ」のその方向を決めるものである。「まだ」の航行が方向性をもつことが問いと呼ばれるだろう。そしてこの方向は最悪の方、最悪の方角なのだ。

問い、つまり最悪の方があるために、まさしく私たちが並べ挙げた諸要素によって構築される最小の装置がなければならない。この観点からすると、『最悪の方へ』はそれ自体最小のテクスト、つまり、思い切った縮小方法にしたがって、可能なあらゆる問いのための素材を設定するテクストなのだ。問いの可能性という見地からすれば無駄で余計な要素のどれも導入しないテクストなのだ。

問いがあるための最小の装置に対する最初の条件とはおそらく純粋な存在があるということであり、これは虚空という特異な名をもっている。しかし、存在の展示も必要である。つまり存在としての存在だけではなく、それ固有の在り方にしたがって展示される存在、あるいは現象の現象性、つまり何かがその存在のなかで現れることの可能性である。そして、何かがその存在のなかで現れることの可能性は、存在としての存在の名としてある虚空ではないのだ。現れることの可能性としての存在の名、それは薄暗さである。

薄暗さは、その存在の問いがありうる限りで、つまり、その存在が、現れることの供給源としての問いに晒される限りで存在なのである。

これが、一つだけではなく、二つの名（虚空と薄暗さ）が必要である理由である。問いがあるために、存在は二つの名をもたなければならない。ハイデッガーも存在と存在者によってこのことを理解した。

問いのための二つ目の条件とは、思考があるということだ。思考-頭蓋と呼ぼう。思考-頭蓋は、見間違えること、そして言い間違えること、あるいは固く閉じた凝視する目と最小の滲出である。しかし、本質的な点は、思考-頭蓋は自ら展示されているということだ。それは、存在の展示から免算されてはいない。そのために存在があるところのもののように単純に定義できるものではなく、それは、存在そのものの性質を帯びているのであり、展示のなかに捕らえられている。ベケットの語彙のなかで、頭、すべての座と胚種[11]、あるいは頭蓋は、薄暗さのなかにあるのだと言われるだろう。あるいはまた、思考-頭蓋は三つ目の影だと言われるだろう。さらに言えば、思考-頭蓋は数えられない薄暗さのなかで数えさせるのだ。

ここで我々は、無限の後退に晒されてはいまいかと考える。もし、思考がそれ自体存在に共属しているのなら、この共属の思考はどこにあるのだろうか？　どのようにして頭は薄暗さのなかにあると言われるのだろうか？　我々は、――もしこの表現をあえて使うのなら――メタ-頭の必要性の瀬戸際にいるように思われる。四を、そして五を数えなければならず、それは無限に続く。

閉じこもりの仕様《プロトコル》はコギトによって与えられる。頭は頭によって数えられ、頭は頭として見られていることを認めなければならない。あるいは、固く閉じた凝視する目のために固く閉じた凝視する目があるのだということも。この、自己矛盾したことが一度もないベケットの思考のなかにあるデカルト的な筋道が、彼の初期の作品から実際見出されるのだが、『最悪の方へ』では、停止的規律として示されている。これだけが、そのために薄暗さがあるところのものは薄暗さのなかにもあるということを可能にするのだ。

そしてついに、問いに関する最低限の諸条件のなかで常に最後に来るものとして、「ある」と思考－頭蓋の他に、薄暗さのなかへの影の書き込みが必要となる。

影は三つの関係によって決定される。最初は、一か二、あるいは同と他《た》の関係である。膝まずく一と、同と他《た》という形象としてプラトン的カテゴリーのなかで捉えられた歩く二人組である。二つ目は、年齢の端にいる者、子供と老人であり、この端の者たちによって、二人組は一つにもなる。三つ目は、性の関係、女と男である。

これらが、薄暗さを満たし、虚空を荒らす影を構成する関係である。

ついでながら、『最悪の方へ』では暗示的であるにもかかわらず、大変重要なある点について述べよう。それは、私たちが見たように、性は証拠なくあるということだ。これは、証拠のない特殊な唯一のものでさえある。この影が、年老いた女か年老いた男であると分かるのは、常に証拠のないことであり、それでも確かなことなのだ。このことは、ベケットにとって、性の差異化は絶対的に確かなものであると同時に絶対的に証明不可のものであるということを意味する。だからこそ私はこれを純粋な分離と名づける。

なぜ純粋な分離なのか？　女と男がいるのは確かで、今回の場合、年老いた女と年老いた男であるが、この確かさは、どんな特別な述部的特徴をも演繹させたり推論させることもない。したがって前言語的であり、言われうるけれども、この言うことは他のどんな言うことからも由来することはないのだ。それは、最初の言うことである。女と男がいるとは言える。だが、他の言うことからこのことを推測することは全くできないのであり、特に、描写的に、あるいは経験的に言うことからは無理なのである。

（e）存在と実存

一と二、年齢の端と端、そして性と性というこれらの関係のもとで、影は、存在ではなく、実存を保証する。実存とは何か？　そして何がこれを存在から区別するのか？

実存とは、悪化する能力のあるものの類生成的《ジェネリック》な属性である。悪化できるものは実存する。

「悪化する」とは、固く閉じた凝視する目で見ることと言葉の滲出に完全に展示させられるという活動の様態である。この展示とは実存である。あるいは、おそらくより根本的に言えば、出会われるものが実存するのだ。存在は、それが出会いの形にあるときに実存する。

虚空も薄暗さも出会われる何ものも示しはしない。なぜなら、あらゆる出会いは、虚空の可能な限りの間《はざま》が出会われるものを切り抜くという条件のもとに、そして、自らを展示するあらゆるものの展示である薄暗さがあるという条件のもとにあるからだ。出会われるものは影である。出会われる、あるいは悪化するということは、唯一の同じことであり、これは影の実存を示している。虚空と薄暗さ、これらは存在の名であるが、実存はしない。

最小の装置はまさしく次のようにも言われるだろう。存在、思考、実存と。存在、思考、実存の形象、あるいはそのための言葉、または、ベケットが言いそうだが、それを言い間違えるための言葉、これらを我々がもつとき、つまり、言うことの実験的で最小のこの装置をもつとき、我々は問いを配置し、方向を定めることができるのだ。

（f）言うことの文言

テクストはしたがって、方向の、思考の方向性に関する諸々の仮説にしたがって組織されるだろう。存在－薄暗さ、影－実存、頭蓋－思考の三つ組を結び、ほどき、あるいは配置するものに関する仮説である。『最悪の方へ』は、存在／実存／思考の三つ組を、虚空、同と他《た》、三、見ること／言うことの複合というカテゴリーのもとで扱うだろう。

　仮説を作成する前に、一定数の文言によって支えられる必要がある。これらは発端となる結びつきとほどきを設定するのだ。『最悪の方へ』のほぼ唯一の文言は、そもそもこのタイトルを生み出したものだが、ベケットの古い文言であり、――今回作り出されたわけでは全然ないのだ――最も古いもののうちの一つですらある。この文言とはこう言明される。言うこと、それは言い間違えること。

「言うこと、それは言い間違えること」が本質的な同一性であることを充分に理解しなければならない。言うことの本質は言い間違えることなのである。言い間違えることとは、言うことの失敗ではなく、まさに逆のことである。すべてを言うこととは、言うこととしてのその実存そのもののなかで言い間違えることなのだ。

「言い間違えること」は暗に「うまく言うこと」と対立する。「うまく言うこと」とは何か？「うまく言うこと」とは、一致という仮説のことである。言うことは言われることと一致するのだ。しかし、ベケットの根本的な命題は、言われることと一致するものとしての言うことが言うことを削除してしまうということである。言うことが自由に言うことであり、とりわけ芸術的な言うことであるのは、それが言われることと融合しない限り、言われることの権威のもとにない限りである。言うことは言うことの命令のもとにあり、「まだ」の命令のもとにあり、言われることに束縛されてはいないのだ。

もし一致がなく、言うことが「言われること」の要請のもとになく、ただ言うことの規則のもとにあるのなら、そのとき言い間違えることは、言うことの自由な本質であり、あるいはまた、言うことの規定的な自律性の肯定である。言い間違えるために言うのだ。そして、詩的あるいは芸術的な言うことである言うことの極みとは、まさしく、言い間違えることの制御された調節なのであり、それは、言うことの規定的な自律性をその極みにおいてもつということなのだ。

ベケットの作品のうちに言い間違えるや失敗するなどといった言葉を読むとき、これらすべてのことを理解する必要がある。もし、言語は事物に多少とも適度に貼りつくものだという言語に関する経験論的な理論が問題ならば、何も面白くはないし、そもそもテクストがそれ自体不可能なものになってしまうだろう。「失敗する」や「言い間違える」という表現のなかに、言うこと固有の規則のもとでの要請が自動的に肯定されているのだと理解するときにのみテクストは機能する。ベケットは冒頭からはっきりとこのことを指し示している。


言われるために言う。言い間違え。今からは言い間違えられるために言う。[12]　（七ページ）

(g) 誘惑

これらすべてのことがもたらす厳密な帰結は、言うことの規範が述べられるということである。つまり、失敗という規範である。言うことの規範が失敗であるということは主体的に偽りの希望を引き起こす。この希望はベケットに完全に特定されているものである。つまり、最大の失敗、絶対的な失敗があるという希望であり、これは、言語と言うことに関して決定的に落胆させるというメリットがあるのだ。これは恥ずべき誘惑であり、言うことの命令から免れさせようとする誘惑である。もはや「まだ」がなく、言い間違えることの不寛容な要請のもとにもはやいなくてもよいという誘惑である。

うまく言うことが不可能である以上、唯一の希望は裏切りのなかにある。あまりにも明白な失敗に達するので、失敗は、要請それ自体の完全な棄権、言うことと言語の放棄を結果としてもたらす。このことは、虚空に合流し、くり抜かれて虚空になること、あらゆる要請からくり抜かれることを意味するだろう。最終的に、誘惑とは、存在するための実存をやめさせることなのだ。虚空、したがって純粋な存在に合流したということ、これは、ヴィトゲンシュタインが『論理哲学論考』の最後の命題で述べたような意味での神秘的な誘惑と呼べるところのものである。言うことが不可能なため、それを言わないしかないという地点にまで達すること。言うことは不可能だという意識、つまり完全に失敗だという意識が、言うことの命令ではもはやなくて、言わないことの命令のなかに打ち立てられる地点にまで達すること。

ベケットの語彙のなかでこのことは「去る」という表現で言われる。何から去るのか？　そう、人間性からである。実際にはベケットは、我々は去らないとランボーのように思っている。ベケットは、人間性から去るという誘惑を完全に認識している。これは、言語と言うこととに落胆するところまで失敗することなのだ。きっぱりと実存から去ること、存在に合流すること。だが、彼は、この可能性を修正し、拒否する。

ここに、退去と虚空への接続という仮説が言及されるテクストがある。この接続は失敗の過剰さ、言うことの絶対的な成功と混同されてしまいそうな失敗の過剰によるものである。

また試す。また失敗する。もっと良くまた失敗する。あるいはもっと良くもっと悪く。もっと悪くまた失敗する。なおさらもっと悪くまた。これっきり落胆するまで。これっきり吐く。これっきり去る。これっきりどちらもないところへ。これっきり。[13]　（八―九ページ）

これが誘惑である。影がもはやなく、言うことの命令にもはや何も晒されていないところへ去ることである。

しかし、もっと後の多くの節でこの誘惑は拒否、撤回、禁止されることになる。例えば四九ページでは、「よく悪くより……」という観念が考えられないものとして表明される。

戻りもっと良くもっと悪くそれ以上は考えられないを取り消す。もしもっと多くの薄暗さもっと少ない光ならそのときもっと良くもっと悪くもっと多くの薄暗さ。それゆえもっと良くもっと悪くそれ以上は考えられないは取り消され。もっと良くもっと悪くもっと少なくに劣らずもっと多いかもしれない。もっと良くもっと悪く何が？　言うこと？　言われること？　同じこと。同じ何もないこと。同じほとんど何もないこと。(14)

重要なのは次の点だ。「これっきり吐く。これっきり」は実存しない。なぜなら全く「同じ何もないこと」が実際は「同じほとんど何もないこと」であるからだ。根本的に去ることとの仮説とは、私たちを命令による人間性から免れさせるものであり、沈黙の要請という本質的な誘惑である。だがこれは、存在論的な理由によりうまくいかない。「同じ何もないこと」は、実際は常に「同じほとんど何もないこと」あるいは「同じほとんど何もない」なのであり、決して「同じ何もないこと」そのものではないのだ。したがって我々は決して、純粋な「何もない」や絶対的な失敗の出来の名のもとで、言うことの命令から免れるよう作られてはいないのだ。

（h）悪化することの法則

ここからテクストを支配する根本的な法則によれば、言語が可能とする悪くなること、つまり悪化することは、虚無によって捕らえられるわけではないということになる。我々は常に「同じほとんど何もないこと」のなかにいるが、虚無による捕獲がある「これっきり去る」の地点には決していない。薄暗さでも虚空でもない虚無は、言うことの要請の廃棄なのだ。

したがって次のことを主張しなければならない。言語はもっぱらより小さくなるという能力があるのだと。言語は虚無の能力をもっていない。ベケットは言うだろう。言語は「縮小する言葉」をもつのだと。我々は縮小する言葉をもち、この縮小する言葉とは、そのおかげで最悪の方、つまり失敗が集中する方を保つことのできるところのものなのだ。

マラルメの「直接的では決してない暗示的な言葉」とベケットの「縮小する言葉」のあいだには明白なつながりがある。言われることの裏づけあるいは事物の裏づけのもとで、この事物は言われることはできないという意識のなかで言うべき事物に近づくということは、言うことの要請の根本的な自律化へと我々を導く。この自由に言うことは、決して直接的ではないし、ベケットの語彙に従えば、自由に言うことは縮小するもの、悪化するものなのである。

換言すれば、言語は、最悪の最小のところを望みうるのであり、廃棄ではないのだ。ここに重要なテクストがある。そこでは「言葉は縮小する」という表現がみられる。

もっと悪いもっと少ない。それ以上は考えられない。もっと良いもっと少ないがないのでもっと悪い。もっと少ないが最も良い。いや。虚無が最も良い。最も良くもっと悪い。いや。最も良くもっと悪くはない。虚無は最も良くもっと悪くはない。もっと少ないが最も良くもっと悪い。いや。最も少ない。最も少ないが最も良くもっと悪い。決して虚無にならない最少。決して虚無によって無化されない。無化されえない最少。それを最も良く最も悪いと言う。縮小する言葉で最も少ないが最も良くもっと悪いと言う。もっとより悪い最悪がないので。もっと少なくなりえない最少が最も良くもっと悪い(15)。(四一ページ)

「決して虚無にならない最少」は悪化するところの法則である。「最も良くもっと悪いと言う」、これは「無化されえない最少」である。「もっと少なくなりえない最少が最も良くもっと悪い」は、純粋で単純な廃棄や虚無と混同させられることは決してない。このことは、ヴィトゲンシュタイン的な意味での「それについては黙らなければならない」が実践できないということを意味する。私たちは最悪の方へとどまらなければならないのだ。『最悪の方へ』、このタイトルは命令であり、単純に描写であるわけではない。

言うことの命令はこのとき恒常的な反復という形象のなかにあり、試み、努力、労苦の秩序に属している。書物それ自体が、名の滲出のために提示されるあらゆるものを悪化させようとするだろう。テクストの大半が「悪化すること」の経験と呼ぶことのできるものに捧げられている。『最悪の方へ』は、言うことの要請が自らを肯定する形象としてある、悪化することの一仕様《プロトコル》なのである。悪化すること、それは、失敗の過剰のなかで絶対の権限でもって名づけることであり、このことは、「直接的では決してない暗示的な言葉」によって出現させることと同じであり、マラルメの詩のなかと同様に、虚無への乗り越えることのない近接をもたらすのである。

悪化することは、言語のその芸術的な緊張のうちで行われる実践であり、矛盾する二つの操作によってなされる。実際、悪化することとは何なのか？　それは、影に対して言うことの主権を実践することである。したがって、もっと言うことであると同時に、言われることを制限していくことでもある。だからこそ操作は矛盾する。悪化すること、それは少なくなるものに関してもっと言うことなのだ。より縮小させるために言葉を増やすことなのだ。

ここから悪化することの逆説的な面が導き出される。これはテクストの実質を実際に構成するものである。「言われること」を減らし、この純化によって失敗がよりはっきりしてくるためには、新たな言葉を導入しなければならないだろう。この言葉は可算ではなく――我々は加えず、合計を求めない――、減らすためにもっと言う必要があり、したがって免算するためにもっと言わなければならないのだ。これが言語を構成する操作である。悪化すること、これは減らすためにもっと言うことを進めていくということなのだ。

（i）悪化の実践

テクストは、影の現象に関するあらゆる素材に、類生成的《ジェネリック》な人間性の布置に、惜しげもなく悪化の実践を与えていく。すなわちこういうことだ。

——一を悪化させること、つまり、膝まずく女を悪化させること。

——二を悪化させること、つまり、老人と子供の二人組を悪化させること。

——頭を悪化させること、つまり、目、滲み出る脳みそを悪化させること、頭蓋を悪化させること。

というのも、これらが、影の現象的確定を下す三つの影だからである。一を悪化させること。この実践は二六ページと二七ページを占める。

まず一。まずもっと良く一で失敗してみる。悪いことにそこでは何か不都合がない。実際それが悪くないわけではない。ない顔は悪い。ない手は悪い。ない——。充分。くたばれ失敗。ごくわずかに失敗。もっと悪いへの道。なおさらもっと悪いへ向かって。まずもっと悪い。ごくわずかにもっと悪い。なおさらもっと悪いへ向かって。加えて――。加えて？　決して。それをうなだれさせる。それをうなだれさせておく。深く低く。帽子をかぶった頭が消え去り。外套はもっと上で切れ。骨盤から下は何もない。うなだれた背中のほか何もない。上もなく下もない胴体の背面。薄暗い黒。見えない膝をついて。虚空の薄暗さのなか。もっと良くもっと悪くそう。なおさらもっと悪いを待ちつつ[16]。

より多い免算的な属性のなかでこの最初の影の輪郭をはっきりさせる名の展開は、同時に影の減少あるいは縮小でもある。何への縮小か？　そう、それは、一の一つの線と呼ぶべきものへの縮小であり、この線は影だけを与えるだろう。必要とされる言葉は「曲がった背中」であり、単純な曲がりである。ただ一つの曲がりだけが「もっと悪い」の観念性であるだろう。曲がりを出現させるためには、もっと言葉を必要とする、なぜなら言葉のみが減少を操作するのだから、ということが理解されるのだ。そのようにして、名を過多にもつという操作――ベケットにおいて過多は常に相対的である――は、本質的な減少を目指すのである。

　これが悪化することの法則である。足、頭、外套を切断し、できるものはすべて切断する、だが、各々の切断は、実際には、補足的で免算的な細部によって純粋な一つの線が出来することに焦点を置いているのだ。失敗の究極の線を純化するためには補足しなければならないのである。

　次に二の悪化の実践である。

次に二。失敗をもっと悪くする。もっと悪くしてみる。ごくわずかの失敗から。加えて――。加えて？　決して。長靴。もっと良くもっと悪く長靴のない。裸足の踵。いま二つの右。いま二つ左。さらに右左右左。裸足で遠ざからないまま。もっと良くもっと悪くそう。わずかにもっと良く何もないよりもっと悪くそう。[17]

（二八―二九ページ）

長靴、「長靴」のような名は、非常に抽象的な構造をもつこの散文のなかにはあまり出現しない。出現するのは、まさに操作が危険に晒されているからだ。「墓場」の出現のような本質的に具体的な言葉に関しては後ほど見よう。しかし、突然ここに現れた長靴は、抹消、削除されるしかない。「長靴。もっと良くもっと悪く長靴のない」である。

事物の一部――そしてこれが操作の矛盾する性質である――は、その削除のためだけに与えられるのであり、免算されるためだけにテクストの表面に出来する。言語の主権性の論理である悪化することの論理は、可算と免算を同一化する。マラルメも他のやり方で取り行おうとはしない。彼にとって、対象（白鳥、星、薔薇……）を出現させ、その到来が解消を課すということは詩の行為そのものなのである。ベケットの「長靴」はこのような行為の支持－語なのである。

最後に、頭を悪化させることがある。引用された節は目に関わっている（頭蓋は脳みその上で目によって構成されていることを思い出されたい）。

目。もっと悪化させてみるべき時。どうにかもっと悪化させてみる。固く閉じない。見開き凝視していると言う。すべて白と瞳孔。薄暗い白。白?　いや。すべて瞳孔。薄暗く黒い穴。揺れ動かずぽっかりと空いている。それらはそう言われる。もっと悪化する言葉で。今からはそう。何もないよりもっと良くそうしてもっと悪い方へもっと良くされ。[18]

（三四―三五ページ）

この節のエクリチュールの論理は全くもって典型的である。私がすでに意味を述べた「固く閉じた凝視する」という句から出発しつつ、それを開こうとしている。「固く閉じた凝視する」から「見開き凝視している」という意味論的には同質の素材へと移るのだ。「見開き」はそのとき白を与えるが、白は解消され、黒を与えてくる。これが即座になされる連鎖である。閉じから開きへ、開きから白へ移り、そして白は黒のために抹消させられる。悪化する操作であるこの操作の収支バランスは、「固く閉じた凝視する」の代わりに、私たちが「黒い穴」をもち、それ以降、目が問題になるときは、「目」という言葉のもとですらもはやなく、ただ二つの穴に言及するだけとなるだろう。

私たちは次のことを確認する。開きと白は、操作の骨組みのなかで、目から黒い穴へと移行させるためだけに出現するのだと。そして、この悪化することの操作は、過剰に描写的で、過剰に経験的で、過剰に単独的である「目」という言葉を私たちから取り除くことを目指すのであり、それは、斜めの悪化と抹消によって、可視性に対する盲目の焦点としての黒い穴をただ単純に受け入れるようにと立ち戻らせるためなのだ。目はそのものとして廃棄される。これ以降、穴へと結びつく純粋な見ることがあるのであり、穴へと結びついたこの純粋な見ることは、開きと白という補足的で解消されることになる仲介物を通して、目の廃棄から構築されるのだ。

(j) 方向を保つこと

悪化することは労苦であり、言うことの命令の、創意に富みつつも骨の折れる実行なのだ。最悪への方向を保つということは、一つの努力であり、勇気を要求する。

この努力する勇気はどこからやって来るのだろうか？　私からすれば、これは非常に重要な問いである。なぜなら、概してそれは、どんなものであれ真理の手続きを保つ勇気がどこから来るのかを知るという問いであるからだ。問いは結局次のようになる。真理の勇気はどこからやって来るのだろうか？

ベケットにとって、真理の勇気は、私たちは沈黙によって報いられるだろうとか、存在それ自体との成し遂げられた一致によって報いられるだろうという考えからやって来ることはない。すでに見たことだが、言うことの解消も、虚空そのものの出来もないのである。あのまだは消しえないものなのである。

では勇気はどこからやって来るのだろうか？　ベケットにとって勇気は、言葉が真なるものを告げる傾向があるということからやって来る。作家であるベケットの使命として考えうるある一つの極度の緊張は、勇気が、悪化することのなかでの言葉の使用とは逆の言葉の質に起因するということから由来する。言葉のなかには適合のアウラのようなものがあり、それは逆説的にも、そのなかで私たちが適合それ自体と断交するための、つまり、最悪への方向を保つための勇気をもつところのものであるのだ。

努力する勇気は常にその目的地とは逆の方から汲み取られる。このことを、言うことの捻じれと呼ぼう。努力を続けることの勇気は言葉それ自体のなかで汲み取られるが、その言葉本来の目的地とは逆、つまり悪化することのなかにある言葉のなかでなされるのだ。

努力――この場合、芸術的あるいは詩的努力である――とは、悪化することの実践を命じるための言語に対する非情な作業なのである。しかし、この非情な努力は、言語の幸運な配置のなかからそのエネルギーを汲み取る。一致という、言語に取り憑くある種の亡霊であり、まるで、言語を扱う勇気を、言語そのもののなかから、ただしその目的地への斜面に完全に逆らう形で汲み取ることが可能な場であるかのように、我々はこの亡霊のもとへ戻ってくるのである。この緊張は『最悪の方へ』において非常に美しいいくつかの節を生み出している。これがその一つ目のものである。

誰のであれその言葉も。もっと悪いための何という余地！　ときにそれらがどれほどもっともらしく真を告げようか！　どれほど無意味が不足しているか！　夜は若いあぁ勇気を出せと言う。あるいはもっと良くもっと悪くあぁまだ夜の見張りがあると言う。最後の見張りのひと休みがある。そして勇気を出せと。[19]（二一六ページ）

最悪の方向が保たれるのは、真なるものをほぼ告げてくる何らかのものを言い、詩に関して真なる「ような」もののことを言い、そこで勇気を出すことができる限りにおいてなのだ。「もっと良くもっと悪くあぁまだ夜の見張りがあると言う。」これは実に見事だ。そして次に挙げるのはこのテーマに関する変奏である。

そのとき何のためのどんな言葉？　どれほど今にもそれらがまだ告げそうか。どうにか意識の柔らかい部分からそれらが滲み出すにつれて。そこからそこに滲み出す。どれほどほとんど無意味でないか。最後のもっと少なくなりえない最少へ縮小することをどれほどためっているか。というのもそのとき最高の薄暗さのなか最も最少のすべてを言えなくなるから。[20]（四三ページ）

すべては、どれほど「縮小することをためらっている」のか、どれほどこの努力が非情であるのかを示している。縮小することをためらうのは、言葉たちが「ほとんど無意味」であり、言葉というものが真なるものを告げ、はっきりと告げ、そこでこそ我々は勇気を出すからだ。だが、何のために勇気を出すのか？　そう、まさしく言い間違えるためであり、つまり、勇気へと私たちを招集する幻想、それは真なるものを告げているという幻想を拒否するためなのである。言うことの捻じれとはかくして、努力の非情さを明るみに出すものであり（最悪の方へ向けて、言葉の明るみを乗り越えなければならない）、それと同時に私たちがこの非情さを扱うための努力でもあるということなのだ。

しかしながら、最悪への方向を保つということは、もう一つの理由により困難である。すなわち、存在そのものがこのことに抵抗し、存在が最悪の論理への反逆であるという理由である。悪化することが影に影響を及ぼすにつれて、我々は薄暗さの縁に、虚空の縁に至るのであり、そこでは悪化し続けることが段々と難しくなってくるのだ。まるで存在の経験が、悪化することの袋小路ではなく、この悪化することの、ますます疲れさせる困難あるいは増えていく努力の証明であるかのように。

見えるものを悪化させることの非情で注意深い実践によって存在の縁に導かれるとき、ある種の不変性が、言うことを妨げ、それを苦しみの経験に晒す。まるで言うことの命令が、そこでそれにとって最も遠くて、それに対して最も無関心なものに出会うかのように。このことは、薄暗さによるものと、虚空によるものと、二つの仕方で述べられることになる。そして、薄暗さと、虚空と、言うことの命令の関係は存在論的な問いの核心へと私たちを導く。

思い出そう、薄暗さは存在を展示するものの名であるということを。その結果、薄暗さは、全体的な闇、つまり、言うことの命令がその不可能性それ自体として欲望する闇になることは決してできないのだ。言うことの命令は、最少主義を欲望しており、薄暗さは暗さ、すなわち絶対的な黒になるという考えに偏っている。テクストはいくつかの仮説をなしているのであり、それらによるとこの欲望は満足させられる可能性があるのだ。しかし、これらの仮説は最終的に却下させられる。というのも常に存在の最少の展示があるからだ。空虚な存在の存在は、薄暗さとして自らを展示することである。あるいはまた、存在の存在は自らを展示することであり、その展示は暗さの絶対性を排除する。もしこの展示を最少化することができるとしても、暗さそのものに至ることはできないのである。薄暗さについて、それは「もっと悪くなりえない最悪」と言われるだろう。

そうして最少の方へまだ。薄暗さがあいかわらずである限り。薄暗さは薄められ。あるいはさらなる薄暗さへもっと薄暗くされ。最も薄暗い薄暗さへ。最も薄暗い薄暗さのなかの最も最少。最高の薄暗さ。最高の薄暗さのなかの最も最少。もっと悪くなりえない最悪。(21)

(四二―四三ページ)

思考は、最少主義のなかで、最高の薄暗さのなかでは動くことができるのだが、暗さそのものへの通路はここには全くない。常にまだ最少の何かしらがあるのであり、「決して虚無にならない最少」という根本的な公理があることを繰り返しておこう。論拠は単純である。存在の展示である薄暗さが最悪の方向への条件であり、言うことへ展示するものである以上、薄暗さはそれ自体完全に無へと秩序づけられることはありえないのだ。私たちは、無に向かうことはできず、ただ最悪の方へ向かうだけなのだ。まさに薄暗さが方向の条件であるのだから、無への方向はないのである。したがって、ほぼ－暗い、ほぼ闇ということを主張できるのだが、薄暗さはその存在のなかでは薄暗さのままにとどまるのである。最終的にそれは悪化することに抵抗するのだ。

（k）悪化できない虚空

虚空、それは経験のなかに与えられている。それは、薄暗さの影のあいだの間《はざま》のなかに与えられている。それは分け隔てるものなのだ。実はそれは存在の根底であるのだが、展示されるものとしては純粋な隔たりなのである。影あるいは二人組に関して、ベケットは言うだろう。「あいだに虚空の広大無辺[22]」と。これが虚空の贈与という形象である。

悪化することは、虚空そのものに近づくことを目的としており、間《はざま》という唯一の次元のなかに虚空をもはやもとうとしない。ただ、虚空としての虚空、その展示から退隠した存在である虚空をもとうとするのだ。しかし、もし虚空がそれ自体の展示から免算されるなら、そのとき虚空は悪化していく過程と相関関係をもつことはもはやできない。というのも、悪化していく過程は影と影の空虚な間《はざま》にしか働きかけないからだ。したがって虚空「それ自体」は悪化することの法則にしたがって働きかけられることはない。間《はざま》に変化をつけることはできるが、虚空としての虚空は根本的に悪化しえないもののままなのだ。ただし、もし虚空が根本的に悪化しえないのなら、それは、虚空が言い間違えられることすらありえないということを意味する。この点は非常に微妙なところだ。虚空「それ自体」は言い間違えられえないものである。これが虚空に関する定義である。虚空は言われることでしかありえないのだ。そこでは、言うことと言われることが一致しており、それは言い間違えることを禁ずる。このような一致は、虚空はそれ自体一つの名でしかないということに帰着する。虚空「それ自体」に関して、人はその名の他に何ももたないのだ。このことはベケットのテクストのなかで次のような形ではっきりと表明されている。

虚空。どのように言ってみる？　どのように失敗してみる？　試さなければ失敗しない。ただ言う(23)——　　（二一〇ページ）

虚空が言い間違えることから免算されているということは、虚空の芸術はないということを意味している。虚空は、言語によって芸術的な提示をするもの、つまり悪化することの論理から免算されているのだ。「虚空」と言うとき、言われうるあらゆるものを言ったのであって、この言うことが変形していく過程を目にしているわけではないのだ。これについてのメタファーがないとも言えるだろう。

主体性のなかに、一つの名でしかない虚空は、その消滅の欲望しか引き起こさない。虚空は、頭蓋のなかに、虚空にとって不可能である悪化していくことの過程ではなく、この純粋な名の絶対的な忍耐力のなさ、あるいはまた、虚空がそのものとして展示されるか、無化されるという欲望を導き入れるのであるが、これも、しかしながら不可能なことなのだ。

間《はざま》としてはない虚空、すなわち虚空「それ自体」に関わるや否や、ベケットにおける、言うことの命令から免算された存在論的欲望の形象であるもののなかにいることになる。つまり、虚空と薄暗さの虚無のなかでなされる融合である。ほぼ欲動的な仕方で、虚空の名は消滅の欲望をつなぎとめるとも言えるだろうが、そこには一つの名しかないのでこの消滅の欲望には対象がない。そして、虚空は常に、消滅のあらゆる過程に対して、まさに虚空は悪化することから免算されているという事実を対立させるだろう。このことは、虚空に関して言えば、「最大限」と「ほとんど」が同じものであるという事実によってなされる。注意したいことだが、これは薄暗さには当てはまらない。そこでは存在の二つの名が同じやり方で機能していないのである。薄暗さは、暗くなる傾向、つまり暗くなる傾向をもつ最少主義になりうるのだ。虚空はと言えば、それは言われることでしか存在しえないのであって、純粋な名として捉えられ、変化する可能性、すなわちメタファーや変形のどんな原則からも免算されている。なぜなら、虚空において、「最大限」と「ほとんど」は完全に一致するからだ。次に掲げるのが、虚空に関する長い節である（五五—五六ページ）。

虚空をのぞいてすべて。いや。虚空も。もっと悪くなりえない虚空。もっと少なくは決して。もっと多くは決して。最初に言われて以来決して決して取り消されずもう決して言い間違えられず決して消え去るように蝕まずにはいない。
子供が消え去ったと言う。(24)［……］

「子供が消え去ったと言う」、つまり、ベケットはある間接的な方法で問いに取り組もうとしている。悪化しえない虚空は消え去ることはできないが、もし、例えば、一つの影を消し去るならば、影に荒らされた虚空に関わっている以上、もしかしてより大きな一つの虚空をもつかもしれないのである。この増加分は虚空を言語の過程に委ねるだろう。以下の続きが描くのはこの経験である。

子供が消え去ったと言う。ほぼ消え去った。虚空から。凝視から。そのとき虚空はあの遥かにもっと多いものではない？　老人が消え去ったと言う。老女が消え去った。ほぼ消え去った。そのとき虚空はまたあの遥かにもっと多いものではない？　いや。ほとんどのとき虚空は最大限だ。ほとんどのとき最も悪い。それならもっと少ない？　すべての影がほぼ消え去った。それゆえもしあの遥かにもっと少ないものよりあの遥かにもっと多いものでないならそのときは？　そのときはもっと少なくもっと悪い？　充分。くたばれ虚空。もっと多くなりえないもっと少なくなりえないもっと悪くなりえない最もいつまでもほとんど虚空。(25)

見て取れるように、経験は失敗する。虚空は、純粋な命名として、根本的に悪化しえないままであり、したがって言葉にならないものなのである。

（一）現れることと消え去ること――運動

虚空に結びつけられた説明は、消滅と出現の想定された運動とともに、プラトン的な至高の諸観念を召喚する。私たちは、虚空と薄暗さという存在をもっている。同は、一－女であり、他《た》は、二－老人／子供である。問いは、運動と休止に関してはどうかと問うものであり、これらは『ソピステス』の最も重要な五つの様式のなかの最後のカテゴリーとしてある。

運動と休止に関する問いは二つの疑問という形で現れる。何が消え去りうるのか？　そして、何が変化しうるのか？

絶対的に本質的な命題が一つある。それは、絶対的な消え去ることとは薄暗さの消滅であるというものだ。次のように問うとしよう。何が絶対的に消え去りうるのだろうか？　次のような答えが返ってくるだろう。薄暗さであると。例えば二二ページである。

まだ戻り虚空は消え去ることがあるを取り消す。「私は、虚空の消滅が薄暗さの消滅に従属していることをすでに述べた。」虚空は消え去ることがない。薄暗さが消え去るのをのぞいて。そのときすべて消え去る。すべてが消え去ってしまったわけではない。そのうち薄暗さが戻る。そのときすべて戻る。すべてが消え去ったままではない。一人は消え去ることがある。二人は消え去ることがある。虚空は消え去ることがない。薄暗さが消え去るのをのぞいて。そのときすべて消え去る。[26]

展示そのものの消滅、すなわち薄暗さの消滅として生じる絶対的な消え去ることの仮説が常に考えられるものとしてある。しかし、このことについてよく注意しなければならないのは、この仮説が言うことの外側にあるということ、言うことの命令が薄暗さの消滅の可能性と何ら関係がないということである。したがって、薄暗さの消滅は、その再出現のように、抽象的な仮説であるのだ。それは表明可能であるが、何の経験のきっかけにも、言うことの命令のなかのどんな仕様《プロトコル》のきっかけにもならないのである。絶対的な消滅の地平があり、「薄暗さの消滅」という言明のなかで思考可能なのである。しかしながら、この言明はテクストのどんな仕様《プロトコル》にも無関心なままである。

問題はしたがって影の消滅と出現に集中することになる。薄暗さの消滅という仮説は言うことと思考の外側にあるにもかかわらず、この問題は、思考の問いに結びついた全く別の秩序に関する。より一般的に言えば、影の運動の問題である。

この点に関する調査はとても複雑なものとなる。そして私はここでは結論だけを述べることにする。

一つ目。一は運動能力をそなえていない。確かに老女という形象は、〈一〉の線であり、「屈み」そして「膝まずく」と言われ、このことは変化に属しているように思われる。しかし、正確に言うことが重要である。つまり、言うことの要請、すなわち最悪の規則しかそこでは問題となっておらず、決して運動そのものが問題となっているわけではないのだ。一が膝まずいたり屈んだりするというのは本当ではない。テクストの言表とは常に、膝まずいて、屈んでいるなどと言われることである。[27] これらすべては、悪化することのなかにおける減少の論理の要請下にあるということであり、何らかの運動に対する一の固有の能力というものを指し示しているのでは全くないのだ。

この第一の命題はしたがってパルメニデス的である。一と数えられるだけのものとして一と数えられるものは、運動に対して無関心のままであるということだ。

二つ目は次のように述べられる。思考（頭、頭蓋）は消え去る状態の外側にあると。この点に関するいくつかのテクストが見出されるが、そのうちの一つを挙げよう。


頭。それが消え去ることがあるか尋ねない。違うと言う。尋ねず違う。それは消え去ることがない。薄暗さが消え去るのをのぞいて。そのときすべて消え去る。おぉ薄暗さが消え去る。これっきり消え去る。すべてこれっきり。これっきり。[28]（一三ページ）

この「おぉ薄暗さが消え去る」は効果のないままである。私たちが見たように、常に「薄暗さが消え去る！」と言うことができるのだが、薄暗さはそうする気が全くないのだ。

私たちにとって重要なのは、頭が、消え去る状態の外側にあるということだ。薄暗さの消滅は自然と除かれるが、そのときすべて消え去るという状態の外側である。

したがって、消え去ることの問いに関して、頭は虚空と同じ身分規定にあるということを指摘する必要がある。これはまさしくパルメニデスの格言である。すなわち「同の方は、思考すると同時に存在する」である。パルメニデスは、思考と存在という本質的な存在論的対を示している。

そして『最悪の方へ』は、存在の試練そのものである消え去ることの問いに関して、頭蓋と虚空が同じ困難に直面していることを表明しているのだ。

したがって、最終的に――これが三つ目の命題である――、他《た》だけ、あるいは二が運動を支える。

古典的で、ギリシャ的な命題だ。二人組、つまり年老いた男と子供による運動があるだけなのだ。彼らは出かけるし、歩く。これは、運動が、変化としての他《た》に不可分なものとして結びつけられているという考えだ。しかし、重要なのは、この運動はいわば不動だということである。年老いた男と子供について――これはテクストの真のライトモチーフである――、次のようなことが常に言われる。

とぼとぼ歩き続け決して遠ざからない(29)。（一五ページ）

運動がある。だが、この運動の内側に一つの不動性があるのだ。彼らは行く、そして決して遠ざからない。これは何を意味するのだろうか？　これは、確かに動きがあるが――彼らは行く――、存在の唯一の状況しか、一つの存在論的状況しかないのである。こうも言えるだろう。一つの場しかないのだと。これは次のような格言のなかで早々に表明されるものだ。

一つの他に場所はない。[30]　（一三ページ）

一つの場しかない、あるいは一つの宇宙しかない、存在の一つの形象しかない、二つあるわけではない。二人組が実際に遠ざかるために、立ち去って遠ざかるために、もう一つの場所が必要であり、二人組がもう一つの場所へ移ることができなければならない。ところが、他の場所はない。「一つの他に場所はない」のだ。つまり、存在のなかに二元性はないのである。存在は、その位置に関して言えば、〈一〉なのである。以上のことにより運動は常に認められるべきなのだが、同時に不充分なものとして把握される。というのも、運動は場の単一性から出ることを許さないからであって、このことは二人組に関するところで確認されることである。

（m）愛

この不動なる移動は二人の移動のことであるが、愛についてのベケット的な考え方によってずいぶん遠いところで強調されることになる。そこでのその二人とは老人と子供であるのだが、この点はあまり重要ではない。というのも、私たちは二に関する格言を目にするからであり、『たくさん〔Assez〕』というタイトルの愛に関する驚くべきテクストのなかでベケットは、ある種の移動であると同時に自己自身への移動としての愛の二を私たちに呈示しているからだ。これが愛の本質である。移動はある場から他の場へ移らせることではなく、場の内部における移転であり、この内在的移転は愛の二のなかで自らの範列《パラディグム》をもつのである。このことは、年老いた男と子供に関する数節が、鈍い感情によって刻印されていることを説明しているのであり、この感情は『最悪の方へ』において全く独特なものである。つまり、不動なる移動は、愛の拡張性と呼ぶことのできるものを指すのだ。

次に掲げるのが、力強い抽象的な愛情が拡張しているテクストのうちの一つであり、これは『たくさん』と反響している。

手に手を取って同じ足取りで彼らはとぼとぼと行ってしまう。空いた手には——いや。空いた空っぽの手。背を向け両方ともうなだれて同じ足取りで彼らはとぼとぼと行ってしまう。子供の手はあげられ握る手にとどき。老いた握る手を握る。握るそして握られる。とぼとぼ歩き続け決して遠ざからない。ゆっくりと決して休まずとぼとぼ歩き続け決して遠ざからない。背を向け。両方ともうなだれて。握られ握る手でつながって。一つになってとぼとぼ歩き続ける。一つの影。別の影。(31)

(一四―一五ページ)

（n）現れることと消え去ること・変化・頭蓋

頭蓋へ接近しうる仮説とは、影が、消滅と再出現のあいだで、修正されたというものである。この仮説は一六ページで喚起され、働きかけられているが、これは明らかに言うことの仮説として呈示されている。

彼らは薄れていく。今一人。今二人組。今両方。ゆっくりと再び現れてくる。今一人。今二人。今両方。ゆっくりと？　いや。突然消え去る。突然再び現れる。今一人。今二人組。今両方。

変わらず？　変わらず突然再び現れる？　そう。そうと言う。毎回変わらず。どうにか変わらず。違う、まで。違うと言うまで。変わって突然再び現れる。どうにか変わって。毎回どうにか変わって。[32]

現実の変化、つまり出現と消滅のあいだに捉われた変化がありうるということは、影の存在に影響を与えうる仮説なのではなく、言うことの要請が場合によっては表明することのできる仮説なのである。これは少し前の「薄暗さが消え去る！」のようであり、あるいは、「膝まずいた女」や「屈んだ女」などと言うときのようだ。必要なのは、影自体の属性であるところのものと、言うことの要請が影をそれに従属させることのできる仮説的変化を区別するということである。

　要するに、一のタイプ（女）と二のタイプ（老人と子供）の影が問題となるとき、二人組の不動なる移動だけが運動を保証するのである。

　したがって、私たちは、そこから言葉が滲み出すところの、そして言うことの要請が滲み出すところの、頭蓋という三のタイプの影の変化に関する問いに最終的に送り返されたのである。そこに、私たちが述べた停止点が介入してくる。それはコギトの構造である。頭蓋によるあらゆる修正、消滅、再出現あるいは変化は、頭蓋は薄暗さのなかで自ら自分自身を把握するものとして表象されるはずであるという事態により停止させられるのだ。

　したがって頭蓋のなかですべて消え去ったと想定することはできない。根本的な疑念から来る仮説は、影に完全な消滅をもたらすだろうし、それは頭蓋が影に対してなす要請のなかで行われるのだが、こういった仮説は保持されるものではない。それは、デカルト的な根本的疑念を自ら制限してしまうという理由と同様のものだ。ここに一節を掲げる。

　頭蓋のなかすべて消え去った。すべて？　すべてが消え去ることはない。薄暗さが消え去るまで。それゆえ二つだけが消え去ったと言う。頭蓋のなか一と二が消え去った。虚空から。

目から。頭蓋のなか頭蓋をのぞいてすべて消え去った。凝視をのぞいて。薄暗い虚空のなかそれだけ。それだけが見られる。薄暗く見られる。頭蓋のなか頭蓋だけが見られる。凝視する目だけが。薄暗く見られる。凝視する目によって[33]。（三一ページ）

影の消滅という仮説は、影は頭蓋のなかで消えたであろう、したがって影はもはや見るか見違えるかの秩序に属さないという事態に差し向けられる。だがこの仮説は、すべての消滅を引き起こすことはない。とりわけあらゆる影の消滅を引き起こすことはないのだ。なぜならそれ自体影である頭蓋は、自らのために消え去ることはできないからである。

デカルト的母体は必然的に自分自身に次のように述べる。「頭蓋のなかですべてが消え去った、頭蓋を除いて」。私は考える、したがって私は薄暗さのなかの影である。頭蓋とは影‐主体なのであり、消え去ることはできないのだ。

（ｏ）頭蓋としての主体——望み・痛み・喜び

頭蓋としての主体は根本的に言うことと見ることに帰する。頭蓋は凝視する目と脳みそを組み合わせるのだ。だが、デカルトにおいて見られるように、他の感情《アフェクション》がある。とりわけ、望みと、痛みと、喜びがあり、それらすべてはテクストのなかのそれぞれの場所に印づけられている。それらの感情の各々は悪化することの方法にしたがって、つまり、その本質的な「もっと少なくなりえない最少」のなかで観察されるだろう。

望みの本質としてある、最小限にできないより小さなものとは何だろうか？　それは、それが最終的な形式のなかに与えられるときの望みであり、非－望みを望むこと、あるいは望むことがもはやないことを望むこと、つまり、己自体を非－望みとして自ら望むこと、さらに、ベケットが述べることだが、無駄な望みの消滅を望むことである。

望みが長く失われていた精神と言われたものが望んでいる。そう言い間違えられたもの。今のところそう言い間違えられた。望みが失われていた長い望みの窪み。長い無駄な望み。そしてあいかわらず望んでいる。かすかにあいかわらず望んでいる。かすかに無駄にあいかわらず望んでいる。なおさらもっとかすかであることに。最もかすかであることに。かすかに無駄に望みの最少を望んでいる。望みのもっと少なくなりえない最少。あいかわらず静められない無駄な望みの最少。[34]

（四七―四八ページ）

この節と、望みに関する標準的な教義とのあいだにある相関関係に対してするべき注釈はたくさんあるだろう。望みが言うことの命令の上に透写されていると言うことができるだろうし、

「すべてが消え去ること」、すなわち「望みが消え去ることを無駄に望むこと」が最終的に消え去ることを望むことは、望むことの還元できない痕跡であるとも言えるだろうし、あるいは、言うことの命令のように、望むことは続くことしかできないとも言えるだろう。

痛みは身体のものである（一方で喜びは言葉から来る）。痛みは、身体に対して運動を引き起こすものであり、そのことから痛みは精神の残滓の最初の証言となるのだ。痛みとは、精神の残滓があることの身体的証拠であり、それは、痛みが影に運動させようとするものである限りにおいてそうなのである。

それが立つ。何が？　そう。それが立つと言う。とうとう起きて立たねばならなかった。骨と言う。骨はないが骨と言う。地面と言う。地面はないが地面と言う。痛みと言うため。精神はないが痛み？　骨が痛んで立つしかなくなるように、そうと言う。どうにか起きて立つ。あるいはもっと良くもっと悪く残滓。一つもないが痛みを認めるための精神の残滓と言う。起きて立つしかなくなるまで骨の痛み。どうにか起き。どうにか立つ。精神の残滓一つもないが痛みのため。ここでは骨の。必要ならば他の例。痛みの。からの解放。の変化。(35)

（九―一〇ページ）

最後に喜びであるが、それは言葉の側にある。喜ぶこと、それは言うことがあると言うためにほとんど言葉がないということを喜ぶことである。喜びとは常に、言葉の貧しさの喜びなのだ。喜びの状態の痕、あるいは喜ばせること、喜ばせるものの痕は、そのことを言うための言葉が極端に少ないということなのだ。ところがよく考えるならば、これはまさに本当なのだ。極度の喜びとは、まさしく、言われるための言葉をほんのちょっとしか、あるいは全くもっていないということなのだ。それゆえ、愛の告白という形象のうちには「愛してる」と言うこと以外何もないのであって、これは極端に貧しいのである。なぜならこれは喜びの要素のなかにあるのだから。

私は、リヒャルト・シュトラウスの『エレクトラ』のなかの、エレクトラによってオレストが認識される場面のことを考える。そこではエレクトラが非常に激しく「オレスト！」と歌い、音楽が麻痺する。フォルティッシモの大量の音楽がそこで鳴り響くのだが、それは完全に不格好な形で長く続くのである。私は常に、これをむしろ良いものだと思っていた。まるで、言葉にならない極度の喜びが、音楽が自ら麻痺することによって音楽的に上演させられているかのようであり、まるで、音楽の内部にあるメロディーの布置（そのあと、甘ったるいワルツのなかで大いに上演される）が無能さに襲われたかのようである。そこには、命名の貧しき配置としての「喜ぶこと」の瞬間があるのだ。

ベケットはこのことを非常にはっきりとした仕方で述べている。それは明らかに、精神の貧しき残滓と、それら精神の貧しき残滓のための貧しき言葉があるということとつながっている。

それゆえ精神の残滓あいかわらず、充分あいかわらず。誰のかどこでかどうにか充分あいかわらず。精神も言葉もない？　そのような言葉さえ。そうして充分あいかわらず。喜ぶためにちょうど充分あいかわらず。ただそれらを喜ぶためにちょうど充分あいかわらず。ただ[36]！

（三七―三八ページ）

見ることや言うこととは別の主体的能力のためにこれだけのものがあるのだ。まずは三つの原則（望み、痛み、喜び）である。結局のところ、情熱に関する古典的な教義を私たちに与えてくるものなのだ。

（p）主体をどう思考するか？

それでもなお、もし主体の研究においてさらに遠くに行こうと望むなら、免算的に進めて行く必要がある。本質においてベケットの方法とは、裏返しにされたフッサールのエポケーのようなものである。フッサールのエポケーとは、世界に関する命題を免算することであり、「ある」を免算し、この「ある」を対象とする内面性の運動や純粋な流れへと戻ろうとすることである。フッサールはデカルト的懐疑の系列のなかにいる。意識の志向的な操作から宇宙の措定的性質を取り出し、世界のあらゆる命題から独立したこれらの操作を統治する意識の構造を把握しようとするのだ。

ベケットの方法はまさにこの逆である。つまり、主体を免算し、それを宙づりにし、そのとき存在に何が出来するのかを見ようとする。例えば、言葉なしで見るという仮説を立てるだろう。さらに見ることのない言葉の仮説も立てるだろう。言葉の消滅という仮説も立てるだろう。そしてそこで、この瞬間により良く見られるものがあるということを確認するだろう。次に掲げるのはこの経験の記録のうちの一つである。

言葉が消え去ったときのための空白。もうどうにものとき。そのときすべてただそのときだけのように見られる。薄暗くされず。言葉が薄暗くするすべては薄暗くされず。すべてそうして見られ言葉は取り消され。そのとき滲みはない。柔らかいものの上に痕跡はないそのときそこからまた滲み出す。そのなかにまた滲み。滲みとともに見られたように見られるための滲みだけ。薄暗くされ。薄暗くされずに見られるための滲みはない。もうどうにものときのため。滲みが消え去ったときのための滲みはない[37]。（五三ページ）

テクストを詳細に説明する必要があるだろう。言葉の消滅、すなわち言うことの命令が現実に終わるという仮説、つまりフッサールのエポケーのような抽象的な仮説、そして実践されえない維持不能な仮説を立てるとき、薄暗くされないものとしての見ることの仕様《プロトコル》が問題となる。この仮説のもとでは、存在の何かが明るみになる。そして、逆の経験をすることができる。つまり、見ることを免算し、見ること、見間違えられることから分離した言い間違えることの運命とはどういったものなのかを問うことである。

私はこの経験を詳述するつもりはないが、もし消え去ることについての問いに関してまとめるなら、最終的に三つの命題を得ることになる。

一つ目。虚空は、薄暗さの展示のなかに捕らわれるや否や悪化できないものとなる。このことは、存在の経験はなく、存在には一つの名しかないということを意味する。名が言うことを要請するのだが、経験とは言い間違えることであり、言うことではないのである。

二つ目。頭蓋あるいは主体が、現実に見ることと言うことから免算されることはありえないのであり、それは形式的な経験においてのみ可能となる。これは特に、頭蓋あるいは主体は常に自らにとって消えないものであるという理由による。

最後。影はと言えば、それは同と他《た》であり、(頭蓋の地点から) 悪化しうるもの、したがって経験の、芸術的展示の対象なのである。

これが、展示され、言われ、他の多くの事物と一緒に織り込まれるものである。ここには、時間、空間、諸変化、あるいは他に様々に挙げられる事物に関するまさしく一つの教義があるのだ。少なくとも六〇ページまではそうなのだ。というのもそれ以降、別の何かが起こるのであり、その複雑さは、その端までたどり着くにはさらなる長い詳述が必要となるようなものだ。私はその本質を指摘していきたいと思う。

（q）出来事

六〇ページまでは、存在、実存そして思考を結びつける最少の装置による素材のなかにとどまっていた。そしてここから、厳密な意味での出来事、不連続性、ベケットが最後の状態と呼ぶところのものによって準備された出来事が生じる。最後の状態はおおよそ私たちが今述べたところのものだ。つまり、状態の最後の状態として、物事の状態について言うことの最後の状態としての最後の状態のことである。その状態は無化の不可能性のなかに捕らわれている。それは、薄暗さの消滅を除いた無化であり、言うことの外にあるという仮説にとどまっている。

その軌跡が述べられる必要があるところの出来事は、自らの停止の言明へと帰着した言うことの命令を配置するか、あるいはありのままにしておくこととなる。諸々の条件は出来事的に修正されることになり、その結果「まだ」の内容は、「もうどうにも」に厳密に制限されるだろう。言うべきこととしてとどまっているのは、ただもはや言うべきことはないということになるのである。そのようにして、言うことは、絶対的に最大限純化したレベルにまで至ることになる。

すべては最後の状態の要約によって始まる。

すべてのための同じ屈み。同じばらばらの広大無辺。そのような最後の状態。最も後の状態。ついにどうにかもっと少なくが無駄になる。もっと悪くが無駄になる。すべて虚無になるよう蝕んでいる。決して虚無にならない[38]。（六一ページ）

「最後の状態」は、悪化することの過程を終わることのないものとして清算する。それは格言として「もっと悪くが無駄になる」をもつ。しかし、概要が完成するや否や、この状態の限界点からのある種の遠ざかりが、「突然」によって導入されながら不意に生じる。これは言語の内部へと絶対的に後退していくことのようである。まるで、その最後の状態で言われうることによって言われたあらゆることが、たちまちに言語の命令から無限小の距離にあるかのようなのだ。

実は、この運動は、マラルメの『賽の一振り』の最後における〈星座〉の出現と完全にパラレルである。この類似は、私が思うに、意識的なものである。その理由を見ていこう。もはや「これが事物の、存在の事物の状態である」——マラルメの方は、「何も場以外に場をもたなかった」という形で述べることだ——と言う他に何もないとき、テクストがそこで停止すると考えるとき、この格言を、言うことの命令が可能とするところのものに最後の言葉として織り込んだとき、まるで、一種の付加が、取り上げられている場面から距離をもって位置する一場面で生じるかのようなのだ。突然の付加であり、断絶しており、荒々しく、そのなかでは、展示の変化が、突然の変化あるいは急激な発作が起きている。問題となっているのは、薄暗さの消滅ではなく、存在の、その限界への後退なのだ。そして、マラルメにおいて賽の一振りの問いが〈大熊座〉の星々の出現によって清算されるのと同様、ここでも薄暗さのなかで数えられていたものがピンの穴のように、非常に似たメタファーのなかで固定される。次に掲げるのは「充分」という断絶の約款によって導入された節である。


充分。突然充分。突然すべて遠く。動きはなく突然すべて遠く。すべて最も少なく。三本のピン。一つの針穴。最も薄暗い薄暗さのなか。ばらばらの広大無辺。際限ない虚空の際限で。そこからもっと先はない。最も良くもっと悪くもっと先はない。どうにももっと少なくは。どうにももっと悪くは。どうにも虚無は。もうどうにも。

もうどうにも言われず[39]。（六二ページ）

私はいくつかの点をただ強調したいと思う。

限界に接しているこの装置のテクスト内部の出来事的性質は、この「突然」が動きのないものであるということによって印づけられている。つまり、「突然すべて遠く。動きはなく突然すべて遠く。」である。したがってこれは変化ではなく、分離なのだ。これはもう一つの場面なのであり、それは、最初に設置させられた場面を二重にするのである。

二つ目――これは、事物のマラルメ的布置が意識的なものであると実際に私に考えさせるものである――、それは次の節である。「ばらばらの広大無辺。際限ない虚空の際限で。」、これは、耳で聞くと、「高みにおそらくは一つの場が彼方と溶け入るほどに遠く〔……〕一つの星座[40]」と完全に隣り合わせである。私は、三つのピンと七つの星が同じものであると絶対的な確信をもっている。

思考において、これらは確かに同じものなのである。つまり、存在の安定した状態のことしか言うことがないとき、概念なき恩寵である突然性のなかで、「もうどうにも」と言うことになる全体の布置が生じるのである。つまり、影に命令されたり要請されたりする「まだ」ではなく、単なる「もうどうにも」であり、すなわち、その可能な限りの停止の純粋性に帰着した言うことの「まだ」である。

しかしながら、この力‐言うことの布置は、存在の状態、悪化することの実践ではもはやない。それは出来事であり、一つの遠方を作りだす。計測不能な距離を置くということである。詩学の観点から、この出来事的布置、すなわちこの「突然」は、美学的にそして詩学的に一つの形象によって準備されているということを示す必要がある。マラルメにおいて、〈星座〉は海原に沈もうとしている師の形象によって準備されている。ベケットにおいて、全くもって見事なこの形象による準備は、一‐女が墓石になるという全く予知できない変身によって成立している。ここの一節は、いわばそのイメージの非連続性によって注意をひくはずである。直前に、限界へと至った出来事の一ページ前に、次のようなことが書かれているのだ。

何もないがだが老女。老いただが老いた。見えない膝をついて。愛しい想い出古い墓石が屈むように身を屈め。あの古い墓地のなか。名前は消え去りいつからいつも。誰でもないものの墓の上に無言で身を屈める。(41)（六一ページ）

この節は、ここで私たちが述べてきたことすべてと比べても完全に特異で逆説的である。まずは、この節が、一つのメタファーを影の地点で出来させているからだ。一－女、すなわち一－女の屈みは、文字通り墓石となる。そして、この墓石の屈みの上で、主体は、その名の消去のなかでのみ、その名とその実存の日付を抹消することにおいてのみ与えられる。「充分」が出来事の可能性を指し示すというのは、これら「誰でもないものの墓」を背景としてなのであり、この新たな屈みの上においてなされるということが言えるだろう。屈みは、逸れることへと開かれ、匿名の墓は星のピンへと開かれる。『賽の一振り』において、星座による出来事的な断絶が可能なのは、場の要素がそれとは別のものに変身することができたからである。

『最悪の方へ』では、一つの墓があり、年老いた女が彼女自身墓になったのであり、この一－墓は、マラルメの詩のなかの、船になり、船になりながら船の船長などを出現させる泡のようである。影の同一性が墓の形象へと転生するのであり、墓があるとき、場の転生も起こる。薄暗さ、虚空、あるいは名づけえない場であったものが墓場となるのだ。私はこのことを形象的準備と呼ぼう。

実際、あらゆる出来事は一つの形象的準備を認めており、常に前出来事的な形象がある。私たちのテクストにおいて、形象は、影が実存に属する象徴になるに至ったときから与えられる。実存に属する象徴とは何だろうか？　もしそれが、消去された名と、それと同様に消去された生年月日と死亡月日が見出される墓石でなければ？　実存が、実存それ自体に属する象徴のように自らを呈示する能力をもち始めるときが、そして、実存の第三の名、虚空でも薄暗さでもなく、墓場という名が存在に出来するときが問題となるのだ。

墓とは、言うことの内部で変換が起こり、実存が存在の象徴的なものに行き着く時機のことなのであり、それは、存在について述べられうることがその性格を変えることなのだ。変化した存在論的場面は最後の状態を二重化する。最後の状態はしたがって最後の状態ではなかった。最後の状態に対して一つの余分な状態があるのであって、それは、まさしく突然に構成された状態なのである。一つの出来事とは、形象的に準備され、存在の最後の状態が最後でなくなることを出来させるものなのである。

そして、最後に何が残るのだろうか？　そう、無あるいは夜の奥底に対して言うことが残っている。「まだ」と言うこと、「もうどうにも」と言うこと、あるがままの言うことの命令である。結局、ある種の星の言語による終着点なのであり、自らの廃墟の上に漂い、そこからすべてが再開されうる。再開できるし、しなければならないのだ。この避けることのできない再開は次のように言うことができる。言うことの数えきれなさ、それはその「まだ」なのであると。そして、良いこと、つまり言うことにおける良いこと固有の様態、それはこの「まだ」を支えることなのである。以上である。それを名づけることなく支えること。「まだ」を支え、その唯一の見ることのできる内容が「もうどうにも」となる極限の白熱状態に至るまでそれを支えること。

しかし、そのためには、出来事が存在の最後の状態の範囲を越える必要がある。そのとき私は続けることができるし、続けなければならない。ただし、この命令への従属の諸条件を再創造するために、虚空のシミュラークルのなかで、存在の薄暗さと出来事の陶酔を結合するあいだに少し眠る必要がない限りでだ。もしかしてこれがまさしくベケットとマラルメのあいだの違いかもしれない。前者は、死を禁ずるように、睡眠を禁じる。徹夜をしなければならない。後者にとって、詩的作業の後、問いの宙づり、すなわち救済の中断によって、影に戻ることもできるのだ。というのもマラルメは、〈書物〉は可能であると決定的に提起したことによって、「最善を目指したいくつかの試み」で満足することができるのであり、試みと試みのあいだで眠ることができるのだから。私はこのことに賛同する。この点に関しては、アイルランドの不眠症患者よりも、フランスの半獣神になることによって。

第10章　半獣神の哲学

指針

一八六五年、マラルメは「半獣神の独白」というタイトルの舞台用作品の執筆に励む。このテクストは上演されるために実際に練られていたのであり、そのことはこのテクストが動きや姿勢をはっきりさせるいくつもの演技指示を含んでいることからも分かる。プランは三部で組織されている。半獣神の午後、ニンフの会話、そして半獣神の目覚めである。ドラマの組み立ては基本的にかなり単純なものである。起こったことが喚起されたあと登場人物が現われ、それから目覚めのときに、これらすべてのことが夢の領域へと割り当てられることになる。

最初のヴァージョンにおける冒頭の詩句は次のようなものである。

私はニンフを捉えていた。夢想か？　違う、明るい尖った乳房のルビーは今もなお大気を燃やす　動かぬ大気を。(1)

「独白」は劇場での買い手を見つけることができず、十年後の一八七五年、「半獣神即興」という題でマラルメは中間的なヴァージョンを書いている。それは以下のように始まっている。

あのニンフたち、彼女たちを恍惚とさせてやりたい。(2)

そしてついに一八七六年、私たちが知っているテクストが、マネのデッサンが添えられるという贅沢な小冊子の形で出版される。最終的な書き出しは次のようになる。

あのニンフたち、彼女たちを不滅のものにしたい。(3)

模範的な軌跡である。最初のヴァージョンは欲望の対象の現実性について問いかけるものであり（「私は捉えていた」）、この問いかけは最終的に断ち切られる（一つの夢でしかなかった）。二つ目のヴァージョンは、対象がどんな身分であろうと、それを芸術的に昇華すると言えるような一つの命令を定める（「恍惚とさせてやりたい」）。三つ目のヴァージョンは思考に一つの務めを割り当てる。一度生じたものが消え去ったとしても、詩はその永続的な真理を保証しなければならない。

構成——仮説と名

詩全体は、指示詞のあのと不滅化の命令を請け負う私とのあいだの隔たりのなかにある。この私の生成とあのニンフたちという明白な客体性のあいだにはどのような関係があるのだろうか？客体が消えてしまい、そしてこの私自身がその唯一の証明であるとき、どのように主体はこの客体との関係を保つことができるのだろうか？　詩とは、それを通して、消滅が、「あのニンフたち」という純粋な命名のなかに避難する主体に、その消滅の存在全体を与えにやって来るところのものなのである。

問題となっているものが、あのニンフたちという名のもとに生じるということは決して疑われることはないだろう。命名は詩の固定点であり、半獣神はその産物であると同時に保証人でもあるのだ。詩はこの名に対する長い忠実さなのである。

この名のもとに消えたものは想定されることしかできない。この想定は、名のあいだ、あのニンフたちと私とのあいだにある隔たりのなかに半獣神を少しずつ構築していくのである。

この隔たりを占めるものは、相次ぐ仮説によって作られていく。それらの仮説は、名の固定性のもと、疑念によって働きかけられたり結びつけられたりする。

それらの仮説とは何か？　このことに関して、内部での枝分かれとともに、四つの原理が挙げられる。

（1）ニンフは、半獣神の欲望の力によって想像的に呼び起こされたものでしかなかったということ（彼女たちは「彼の途方もない感覚による願い」であるだろう）。

（2）彼女たちは虚構でしかなかったのだが、今回は（音楽家である）半獣神の芸術によって生まれたものである。

（3）彼女たちは現実のものだろう。彼女たちが来たという出来事があったが、半獣神の性急さ、性的な欲望を満たすための捕獲をあまりに早く行おうとしたことが、彼女たちを分離させ、消し去ってしまった。これは半獣神の「犯罪」だろう。

（4）もしかしてニンフは、ある唯一の名の束の間の具現化でしかないのかもしれない。つまり、「ニンフたち」はヴィーナスの実体化［hypostases］を名づけるのだ。彼女たちが保証する出来事は太古のものであり、到来するべき真の名は聖なるもの、女神の名である。

これらの仮説を結びつけることから構築される二つの確かさが詩を照らし、半獣神の「私」を組み立てている。
——どちらにしてもニンフはもはやそこにいない。今後は「あのニンフたち」になるのであり、彼女たちがどうであったのかを思い出そうとすることは重要ではないし、危険ですらある。出来事は廃棄されたのであり、どんな記憶もこの出来事の管理人になることはできない。記憶は一つの非出来事化である。というのも、記憶は命名を一つの意味作用へとつなぎ合わせようとするからである。
——今後は、あらゆる記憶およびあらゆる現実から離れ、名が何になるのかを知ることが問題となる。

二人組よ、さようなら。おまえのなった影に私は会いに行く(4)。

仮説は詩に対して忠実さの規則を固定するべきだと提案する。それは、出来事の名への忠実さである。

疑念と痕跡

系統立った疑念により一つの仮説からもう一つの仮説へと移る。それぞれの疑念は先立つ仮説を回収し、そしてその度の回収ごとに現れるのは、名によって想定される指示対象が現在の状況のなかに残した痕跡に関する問いである。これらの痕跡自体は、痕跡として再決定されねばならない。というのも、出来事が起きた〔a eu lieu〕（ニンフが経験的に場〔lieu〕に出没した）ことを「客観的に」証明するものは何もないからだ。

我が胸に、証拠なく、何者かの堂々たる歯による
神秘なる噛み跡を明かすだけ(5)。

詩句は述べる。痕跡はある、しかし、これらの痕跡は証拠にはならず、再決定されねばならない。もし忠実さのなかにあるのなら、出来事の名を感知しうるつながりを見つけることができようが、どのつながりも、起きたことが起きたのだと証拠立てることは決してない。

名が宙づりにされるなかで、疑念が潜在的なやり方で伝えてくるのは次のようなことである。

つまり、詩の終着点において起きようとしているのは、詩それ自体である〈芸術〉が捉え固定するようなものとしての欲望の真理なのだ。ここで理解されているのは、詩は、相次ぐ仮説とそれらに作用する疑念が決定不能だと示すところの出来事を命名するという効果のもとでのみ、その真理をつなぎとめておくことができるということである。これは、最初の「私」、すなわち「あのニンフたち」を不滅のものとしたい「私」の真理でもあるだろう。「私」は、決定不能なものそのものの主体なのである。

詩の内側にある散文について

詩のなかに、〈思い出よ、語れ〉と大文字で書かれた言葉によって導入される引用符にはさまれたイタリック体の長い節がある[6]。それ全体が大々的な区切りを構成しており、気になるところである。大文字で書かれた命令法で始まり、かなり単純な語りのスタイルになっているのが分かる。イタリック体と引用符によって強く際立ったこの物語《レシ》はどのような条件のもとで介入して来ているのだろうか？　詩は私たちに次のようにはっきりと述べる。ニンフの肉体的な存在感を引き合いに出すこれら（三つの）物語《レシ》のうちのどれも、出来事がどんなであれ、その出来事を救うほんのわずかな機会ももたないのだと。一つの出来事が名づけられるのだが、朗唱されえず語られえないのである。

したがって、物語《レシ》は、疑念に資料を提示する機能以外の何物ももちはしない。それらの物語《レシ》は、溶解してしまう記憶の断片なのだ。そして、おそらく、これが実際にあらゆる物語《レシ》の機能なのかもしれない。それについて疑念が生じてしまうものとして物語《レシ》を定義しよう。物語《レシ》が本質的に疑わしいのは、それが真ではないからなのではなく、それが、（詩的）疑念に資料を提示するからなのである。そのとき問題となるのは散文である。物語《レシ》と疑念の組合わせ全体を「散文」と呼ぼう。散文の芸術は、物語《レシ》の芸術ではなく、疑念の芸術でもなく、物語《レシ》から疑念へ向けられた提示の芸術である。たとえ、物語《レシ》の歓び、あるいはその疑念への簡素な提示がそこでは支配的かどうかで散文を分類することができるとしてもそうなのである。散文の最初のタイプは詩から最も遠く隔たったものであり、二つ目は、そこで解体される危険性がありながらも詩に一番近いところで展示させられる。

『半獣神の午後』の引用符にはさまれイタリック体で書かれているこの節は、この詩のうちにある散文の時を示すのである。

問題なのは、詩が、詩の疑念に対して物語《レシ》を散文的に常に展示するべきかどうか知ることである。ユゴーの叙事詩的なスタイルは「そうだ！」と荘厳に答える。ボードレールの返答はより含みのあるものだが、『悪の華』のなかには局所的な力強い散文的性格、疑いのない物語《レシ》的機能があるということはしばしば指摘されてきた。マラルメの一八六五年から彼の死ぬまでの進化は、ユゴーから遠ざかろうとし続けてきたことを意味するが、ボードレールからも遠ざかり続けたのである。というのも、マラルメにとっては散文のあらゆる時を排除することが問題となるからだ。そのときから、詩の中核は一つの謎、疑念を起こす謎となったのであり、それは、その実践の素材としての物語《レシ》をもつことなく肯定のなかで解決されるべき謎なのである。我々が不当にもマラルメの晦渋さと呼ぶものの原因はそれ以外にはない。『半獣神』はいまだ「晦渋」ではない。イタリック体と引用符の重荷によって画定され、ほぼ愚弄されてはいるが、散文がそこに現れているのだ。

10のセクションがある音楽と同様に、この詩には10の時がある。ゼロのセクション、数える以前のところのセクションであるが、これは、最初の詩句の最初の部分である。「あのニンフたち、彼女たちを不滅のものにしたい。」私たちは、このセクションは詩全体のプログラムだと述べた。消え去り、決定不能な出来事の名への忠実さによって主体を支えるということである。

それでは10のセクションを実際に見ていこう。

(1) 想定された場に出来事が溶解すること

なんと明るい、
彼女たちの軽やかな肉色、それは大気のなかを飛び回る
満ちた眠気にまどろむ大気のなかを。(7)

大気の透明さと眠気の潜伏。『賽の一振り』のなかの羽が深き淵の上で「それを覆うこともなく逃れることもなく」あるように、消え去ったニンフが一つの色のような見た目に還元され、半獣神が自分自身目覚めているのか眠っているのか分からなくなっているような場に、(おそらく)散らばっている。

(2) 疑念の作動

私は夢を愛したのか?

私の疑念、積み重なる古の夜、それは完成して
細やかなたくさんの枝となって、まことの
木々そのもののままに、証すのは、ああ！　まさしく私一人
勝利と思って薔薇の偽の観念を自らに与えていたということを――
考えてみよう……

疑念は懐疑的な種のものでは全くない。命令法は「考えてみよう」である。詩の操作全体が思考の操作であり、追憶や想起の操作ではない。疑念は詩の積極的な操作なのであり、そのことは、出来事－ニンフの痕跡というルールのもとで場を捜査することを可能にする。たとえ彼の最初の推理が純粋に否定的であった（私は一人だった、「場以外の何ものも生じなかった」）としても。

（3）欲望から音楽へ

あるいはもしおまえがとやかく言っている女たちが
おまえの途方もない感覚による願いを形作っているのだとしたら！
半獣神よ、幻想が逃げ去ったのは青く

そして冷たい、涙の源泉のような、純潔な方の女の眼から。
だが、もう一方のため息をつくばかりの彼女は
おまえの深い毛のなかの昼の熱風として対照をなしているとおまえは言うのか？
いいや、違う！　全く動かず気怠く恍惚として
爽やかな朝、それが抗う暑さに息が詰まり、
軽やかな音を立てるのは私の笛が草叢に注ぐ水だけで
草叢は音の調和に濡れる。そして風だけが
二つの管から吹き出でたちまち発散し
乾いた雨のなかで音をまき散らす
さざ波を立てることのない地平線で、眼に見えて静謐な
霊感の人為的な息が、空へと戻っていくのだ。

欲望の発見という仮説から芸術による喚起という仮説への移行を許すものは、二人のニンフの「元素的な」変身である。彼女たちは実際、その出現の決定不能性において、源泉、風、水、そして大気と等価になりうるのだ。ところで芸術は、ずっと前からこの古代の等価性を可能としている。
　このセクションは二つのものを交差させている。それらはもはや分離することはない。欲望と

愛の側に位置づけられる手続きと、それ自体二重の身分規定をもつ芸術的な手続きである。後者の二重性とはつまり、半獣神の音楽芸術によって詩のなかに形作られていると同時に詩自体の生成でもあるという二重性である。結局三つの絡まり合った領域があるのだ。ニンフの裸との、推測される出会いに結びつけられた欲望。元素的な虚構の創造者である（音楽家の）半獣神の芸術。詩人の芸術。エロティックな召喚は詩の内側にある詩的メタファーを支える。それは、変身と等価性の連鎖によって、欲望の想定された働きに重ねられていく。ニンフ↓青くて冷たい眼↓涙↓源泉↓笛のささやき↓詩の能力、である。

（4）場で出来事の名を奪い取ること

おお、静かな湿地のシチリアの岸辺よ
太陽の光を欲して私の傲慢がそこを荒らす、
火花のように輝く花々のもとで物言わぬ岸辺よ、〈語れ〉
「ここで私は、才能によって飼い馴らされた虚ろな葦を刈っていた、
そのとき、遠くの緑の枝のその葡萄の房を清泉に捧げる辺り、
青緑色がかった金色の上に、

休息する白い生き物が揺れている。
牧笛が生まれる緩やかな前奏にのった
白鳥の群れのこの飛翔、違う！　水の精が一斉に飛び去ったのか
あるいは水中に潜ったのか……」

私たちはここで、おそらくマラルメの詩がもつ最も普遍的な運動であるところの、さらに非常に分かりやすい一例を目の前にしている。すなわち、場の呈示と、消え去った何らかの出来事の証拠をその場で識別しようとする試みである。

この節は、引用符が付されイタリック体で書かれた物語《レシ》の最初のシークエンスを含む。場そのものに割り当てられたこの物語《レシ》は、場に生じた出来事について告白しようとするかのように、散文の純粋な時なのである。だが唯一このことにより、私たちは、物語《レシ》は疑念にしか至らないと確信するのだ。疑念への到達はさらに、「白鳥」と「水の精」のあいだの問いかけの間《ま》のなかに書き込まれている。この間《ま》は、（女たちの裸という）想像によって（池の鳥）という現実をひっくり返してしまう可能性を開かせておくのである。最終的に、物語《レシ》は、我々を場の孤独へと完全に送り戻すことができるのであり、そのことは半獣神を最初の誘惑に晒すことになる。

（5）最初の誘惑——場のなかで恍惚として自らを廃棄すること

生気なく、すべてが黄褐色の時間のなかで燃える
ラの音を探す者によって望まれた過剰の婚姻の契りが
どのような技でもって逃げたのか記すことなく。
ならば私は原初の熱情をもって目覚めるのか、
まっすぐにただ一人、光の古代の波のもとで、
百合だ！　無邪気さで言うならおまえたちすべてのなかの一人だ。

場の物語《レシ》が、空疎な記憶しか私たちに提示することができず、私たちを納得させることができないのに、どうして痕跡の追跡を諦めないのだろうか？　なぜ風景の光のなかでただ単純に焼き尽くされてはいけないのか？　これは不実への誘惑であり、出来事と、そして「ニンフ」という名への忠実さというこの二つに関する問いを放棄させようとする誘惑である。真理は常に何らかの出来事から導き出されるのだから（でなければ真理がもつ新しさという潜勢力はどこからやって来るのか？）、真理に反するあらゆる誘惑は、出来事とその命名を諦めさせ、純粋な「ある」

ということに、場だけの決定的な力で満足させようとする誘惑として呈示されるのだ。正午に焼かれている半獣神は自ら抱える問題から解放されるだろうし、「私たちすべてのなかの一人」にもなれるのである。そしてもはやこの主体的単独性は決定不能なものへと委ねられることもないだろう。場の恍惚全体が、疲労をもたらす真理の放棄なのである。だが、これは誘惑でしかない。半獣神の欲望、彼の音楽、そして最終的には詩なのだが、これらはしるしを追跡していくことのなかで続けられることになる。

（6）身体のしるしと芸術の潜勢力

彼女たちの唇によって漏らされたこの甘美な何でもないもの、
不実な女どもの存在を密かに証してくれる接吻とは別に、
我が胸は、証拠なく、何者かの堂々たる歯による
神秘なる噛み跡を明かすだけ。
だがもういい！　かかる秘法が打ち明け相手に選ぶのは
巨大な双子のイグサ、それを蒼空のもとで吹き鳴らす。
それは、頬の困惑を自分のほうに逸らし、

長い独奏のうちで夢見るのは、われわれが、周りに広がる美を、
その美にわれわれの人のよい歌を偽りに混ぜ合わせることで楽しむこと。
そして、愛が転調するほどに高く消えさせるのを夢見るのだ
私の閉じた視線で追いかけた
背中と純粋な横腹をめぐる月並みな夢想の
よく響く、空しくそして単調な一本の線を。

このセクションの冒頭二行の詩句のなかで半獣神は、接吻あるいは接吻の思い出の他にもう一つの痕跡があるのだと言明している。接吻は「それ自体」純粋な取り消し、「甘美な何でもないもの」である。しかし、痕跡があるのだ。神秘なる噛み跡が。我々はこの詩句のなかで「証拠なく」と「噛み跡を明かす」のあいだの明らかな矛盾に当然気づく。この矛盾は一つの命題である。出来事によって明かされる痕跡のどれもその出来事が生起した証拠となることはないという命題である。出来事は証拠から免算されている。というのも、そうでなければ出来事は、その決定不能の消滅的次元を失ってしまうことになるからだ。しかし、一つの痕跡、一つのしるしがあるということは除外されない。ただし、そのようなしるしは証拠ではないので、その解釈を強要してくることはない。出来事はいくつかの痕跡を残しうるのだが、これらの痕跡は自らによって一義的な価値をもつことは決してないのだ。実際には、命名という仮説に基づくのとは違うやり方で

出来事の痕跡を探ることは不可能である。痕跡は、出来事が決定された場合にのみその出来事を意味する。常に変わらず決定される「ニンフ」という固定した名のもとで、人は、立証することなく、「神秘なる」噛み跡を証明することができるのだ。

これは神秘というマラルメ的な概念の本質そのものである。証拠にならない一つの痕跡、指示対象が強制されていない一つのしるし。何かしらのものが一つの解釈を強要することなくしるしをなすときには常に神秘がある。というのも、しるしは、名の固定性のもとにおける、決定不能なるものそれ自体のしるしなのだから。

四二行目の詩句（「だがもういい！」）の「だが」から、マラルメは、この神秘なる痕跡は、実際にそれ自体芸術の制作であるという仮説を展開している。もし最初のヴァージョンと比べてみるなら、かなり違った性質であることが分かるだろう。この最初のヴァージョンでは、神秘なる噛み跡は「女の」と言われており、したがって解釈は固定されていたことになる。文芸のなかの神秘はなかったのである。一八六五年と一八七六年のあいだで、マラルメは、一義的な証拠という考えから神秘的な痕跡という考えに移ったのであり、後者に対する解釈は開かれているのだ。つまり最初のヴァージョンは知ることの領域にある。詩をその演劇的目的に至るまで突き動かした問いとは、起きたことに関して私たちは何を知っているのかということである。証拠（女性の噛み跡）と知ることはつながっている。最終ヴァージョンでは、証言はしるしとなるが、その指示対象は宙づりにされている。問いとは、もはや起きたことを知ることではなく、決定不能な出来事から真理を作り出すことなのだ。夢と現実に関するロマン主義的な古い問いに、マラルメは、真なるもの、そしてそれがもつ場の贈与との関係、この二つの出来事としての起源に関する問いを置き換えるのだ。以上のことが神秘の構成要素である。

詩は述べる。私の芸術家の笛は、相応しい打ち明け相手として、そして笛が委ねられるものとして、このような神秘を選んだのだと。「神秘」はこのときから笛の音楽家である「私」の応答相手として機能することになり、仮説の再生へと開いていく。この仮説によれば、神秘の指示対象は愛に関するというより芸術的なものである。

非常に錯綜している四五―四八行目の詩句（「それは……自分の方に逸らし」から）が言明しているのは、笛は、欲望あるいは困惑を明かしうるものを自分の方に戻し、芸術のためだけに音楽的な夢を打ち立てるということである。芸術家とその芸術は、場の美しさと、笛と芸術家による人の好い歌とのあいだにある曖昧さを打ち立てることによって情景を楽しんだのだ。空の下で芸術家が吹く笛は、欲望のあらゆる潜在性を自分のもとに戻すことによってこのような神秘を打ち明け相手として捉えることができた。笛は、その奏でる歌とともに絶え間ない曖昧さを打ち立てることによって、場のあらゆる美しさを取り出すのである。笛は、愛がなしうる強度と同じ強度によって、ある特定の身体に対して我々が抱くことのできる幻の夢想を消滅させ消し去ろうと夢見るのだ。笛は、夢想のこの素材から「よく響く、空しくそして単調な一本の線」を引き出す潜勢力をもっている。

この節にみられる明らかなわざとらしさ、その愛想のよい気取りは次のことを強調している。つまり、欲望された身体についての消え去った夢想の神秘は、全く容易に芸術の効果になることができるし、出来事についての推測に制限を加えたりもしないのだと。出会いも現実の対象もない欲望が、もし（「混ぜ合わせること」を可能にする）芸術によって捉えられるなら、この欲望はその状況下で神秘的な痕跡を出現させることができるのである。

芸術的な痕跡は神秘的である。というのも、これはそれ自体の痕跡にしかならないからだ。マラルメの考え、それは、自らに固有の軌跡としか関わらず、自らの謎のうちに閉じたままになっている痕跡を、芸術がこの世界に生み出すことができるというものだ。ここに芸術の神秘がある。欲望と同等のものの神秘はあらゆる対象なしで済むものである。

このことが二つ目の誘惑を招くことになる。

（7）二つ目の誘惑――芸術的シミュラークルで満足すること

それでは努めよ、逃亡の楽器よ、おおずる賢い
葦笛《シュリンクス》よ、おまえが私を待っている湖でまた花を咲かせてみよ！
私は、自分の噂を誇り、長々と語るつもりだ

女神たちのことを。そして、偶像崇拝の絵によって、
彼女たちの影からまた帯を取り除こう。
こうして、私が葡萄の透明さを吸ったとき、
私の見せかけによって遠ざけられた後悔を振り払うため、
笑いながら、空っぽの房を夏の空まで高く掲げ
そして、光り輝く皮のなかに息を吹き込んで、陶酔を
渇望しながら、日が暮れるまでそれを透かし見る。

誘惑は彼の笛へと差し向けられる。前の仮説によるとすべては芸術から生じるからだ。詩は述べる。おまえよ、芸術の楽器よ、己の務めを再開せよと。私の方と言えば、おまえがそれと同等だと主張する私自身の欲望に戻りたいのだ。

欲望する半獣神はここで芸術家の半獣神と区別される。だが同時に、エロティックなシーンは純粋な夢想として呈示されており、したがって（ニンフの真の到来という）出来事は中止されている。私たちはここで、対象なき欲望であるシミュラークルに主体的に満足してしまうという二つ目の誘惑のなかにいる。それは、以前の仮説を倒錯的に解釈したものと名づけることができるものである。その解釈は次のようなことを意味する。もしかしてこの私の芸術がこの神秘を創造したのかもしれない、だが、私はこれを欲望するシミュラークルで満たすだろう。これが私の

享楽である。したがって本質的なことは、このように考えられたシミュラークルとは、一つの陶酔、あらゆる真理から逸れてしまった陶酔であるということだ。もしシミュラークルが可能なら、そのとき私はもはや忠実さを必要としない。なぜなら不在だったものを私は真似ることができるし、人工物で作り出すことができるからだ。それは一つの空虚なものとして、感覚的に空虚なもの（空気によって膨らませられた葡萄）としてである。シミュラークルは常に、出来事への忠実さを空虚なものの演出に置き換えてしまうのだ。

出来事に関する問いのなかで、空虚なものの機能は中心的である。というのも、出来事が召喚し、出来させるものは状況の空虚さであるからだ。出来事は、現実なるものを「そこにはなかったもの」に転換させることで、「ある」の存在が空虚であることを明かしてくる。充満したものの見かけを解体してしまうのである。出来事とは、充実さを欠如させてしまうことなのである。

しかし、出来事は消え去り、その名しか残っていない以上、再構成された状況のなかでこの空虚なものを扱う他の真なるやり方は、さらにこの名に忠実であること（ニンフに忠実であること）以外にないのだ。ただし、出来事の明るみのなかで召喚された空虚なもの自体へのノスタルジーは残る。これは、充満したであろう空虚なものへの、住まうことの可能な空虚なものへの、永続する恍惚への誘惑的なノスタルジーなのだ。これにはもちろん陶酔によって盲目になる必要があるだろう。

これが、半獣神が身を委ねるものであり、これに抗するには語られる記憶の突如の再開にすがるしかない。

(8) 犯罪の場面

おお、ニンフたち、様々な〈思い出〉をもう一度膨らませよう。
「私の視線が、イグサの茂みを貫いて、各々の不死の首に放たれた
彼女たちはその火傷を水に浸し、
森の上に広がる空に向けて怒りの叫びを上げる。
そして、浸かった髪の輝きは
明るみと震えのうちに消えていく、おお、宝石よ！
私は駆けつける。私の足元で、眠る女たちがくっついている
(二人であるというこの悪に味わう気怠さに憔悴して)
大胆に腕だけを絡ませながら。
私は二人をほどきもせずにさらい、飛んでいく
軽薄な木陰に憎まれて、
太陽に香りのすべてを干し上げられている薔薇の茂みにまで、

そこで私たちの戯れが燃え尽きる白日に等しくなる。」
私はおまえが大好きだ、処女の怒りよ、おお
裸の神聖な重さの御しがたい甘美さよ
それはすり抜ける、火となって燃える私の唇から逃れようと
稲妻が震え慄くように、肉体の密かな恐怖を飲もうとする私の唇から。
無情の足から怖気づく心まで、
どちらも無垢さに見捨てられ、狂気の涙に、あるいは悲しさに勝る蒸気に湿って。
「私の犯罪、それは、これら背信の恐怖を打ち破ったという陽気で、
神々が見事に混ぜ合わしてしまった、
接吻でもつれ合う茂みを押し開けたこと。
というのも、ただ一人の女の幸福の襞のしたに
熱い笑いを隠そうとするや（純情で顔を赤らめることのない少女を
ただ一本の指で押さえておくのは、羽の彼女の無邪気さが、高ぶる
姉の興奮に染まるため）、
なんとなく力尽きてほどかれた私の腕から、
この獲物は、これ限りと、逃げ去ったのだから、
私がまだそれに酔っていた嗚咽を憐れむことなく。」

この長いシークエンスは、詩のうちにある散文、物語《レシ》のイタリック体、思い出の空しい主張に大きく寄りかかっている。それは、まず半獣神がどのようにニンフの二人組をさらい、そして、二人の美が彼の手から消え去り、どのように半獣神がこの二人組を失ったのかを単刀直入に語っている。ここではエロティシズムが強調され、ほぼ下品とも言える(「悲しさに勝る蒸気に湿って」、「高ぶる姉の興奮」など)。これは、ヴェルレーヌの「おぼろげな文学」でも(ちなみに彼は猥褻な詩人で知られている)、マラルメ自身の「暗示的で、決して直接的でない」言葉でもない(「悪霊に突き動かされた黒人女」を読めば分かるように、彼もまた猥褻な詩人である)。

セクション4の最初の物語《レシ》は場の召喚という体制のなかにあった。「静かな湿地のシチリアの岸辺」は、それを配置した出来事－ニンフのことを告白しなければならなかった。このセクション8の二つの物語《レシ》は直接記憶に委ねられている(「様々な〈思い出〉をもう一度膨らませよう」)。物語的な一致はあるのだろうか? 完全にあるとは言えない。最初の散文的状況はニンフの消滅を語るだけである。これは出来事が消滅する次元に焦点を当てている。今回は、能動的な描写で、きちんとしたエロティックな場面であり、名を特定し(「あのニンフたち」)、彼女たちの複数性を認めている(二人の女がはっきりと区別されているが、それと同時に彼女たちの曖昧さも確かにある。なぜなら神々が二人を「混ぜ合わして」しまったからだ)。

しかし、詩の生成－真なるものに対して、思い出のエロティックな細部はどのような価値をもつのだろうか？

記憶は、それが名のしるしのもとにあるという本質的な曖昧性をもっている。場が出来事のことを何も知らないこともありうるのだが、記憶はそういうことは決してない。というのも記憶は命名によって事前に構造化されているからだ。記憶は出来事をそのものとして私たちに伝えようとするが、それは欺瞞である。なぜなら、その物語《レシ》全体が名の命令によって要請されているからであって、記憶は、「あのニンフたち」という抜き難い主張によって導かれた、論理的で回顧的な実践でしかないかもしれないのだ。

純粋な出来事の記憶など決してない。その廃棄の側面は記憶されるものではない。この点に関して当を得ているのは場の無垢性、痕跡の曖昧さである。名の固定性が生じさせることのできる記憶しかない。以上のことからこのシークエンスは、たとえどんなに細かくとも、新たな素材を疑念に提供しているだけなのである。

このシークエンスの二つの物語《レシ》のうち最初のものは、二人のニンフが抱き合って眠り込んでいるところと半獣神の欲望によって彼女たちが捕らえられるところを喚起している。二つ目は、この両頭の裸が強制的に分離されてしまうことによるその消滅を喚起している。

レズビアンに対するファンタスムの種《たね》は明らかだ。ボードレールに詩的な端緒を発し、この種《たね》は絵画も含めて世紀全体を駆け巡る（クールベの眠る女たちを思い浮かべよう）。この型にはまったモチーフから、我々はおそらく、〈一〉と〈二〉に関する秘められた何らかの思索を期待することができる（「二人であるというこの悪」である）。というのも、すべてが、同から同へと絡み合いながら維持されるもののなかで機能しているからだ。

二つの本質的な時間がある。七一行目の詩句（「私は二人をほどきもせずにさらい」）と八二と八三行目の詩句（「私の犯罪、それは、これら背信の恐怖を打ち破ったという陽気で、茂みを押し開けたこと」）である。絡み合いとほどきである。〈二〉のうちの〈一〉と〈一〉になる運命の〈二〉である。

絡み合った二人の女は自己充足する全体性を形成しているのだが、同に捧げられた、自分自身に対する閉じた欲望、他なき欲望、これをぴったりはまり込んでいる状態と言うべきだろうか？どちらにしても〈一〉としての〈二〉なのだ。この輪になった状態の欲望こそが半獣神による外部の欲望を引き起こしたのであり、喪失ももたらすことになる。というのも、半獣神が理解していないことに、ニンフとの出会いは、彼の欲望のための出会いではなく、欲望との出会いであるからだ。どんな対象も必要とせず、純粋な欲望を形作るからこそまさしく全体性であったものを半獣神は対象として扱うのである（したがって分離しようとし、「部分的に」扱おうとする）。

半獣神が受け取るこの苦々しい教訓は次のようなものである。真の出来事のなかで問題となるのは、決して欲望の対象なのではなく、そのものとしての欲望、純粋な欲望なのである。レズビアンの寓意とはこの純粋さを閉じた形によって呈示するものなのである。

このセクションの二つの物語《レシ》を分離する節（七五から八一行目の詩句、イタリック体が途切れるところ）に特に注意してみよう。というのも、ここだけまさしく主体化された唯一の時が問題となっているからであり（「私はおまえが大好きだ、処女の怒りよ」）、欲望が宣言されている時だからである。

命名と宣言を区別することは重要である。――命名（「あのニンフたち」）はすでに起きたので――この命名に対するその固有の関係性を言明することを「宣言」と呼ぼう。出来事の名のもとで主体を帰納するという決定的な時間である。主体全体が、命名との関係性として、したがって出来事への欲望する忠実さのなかで、自らを宣言しているのだ（「私はおまえが大好きだ」）。

半獣神の宣言は物語《レシ》の二つの時間のあいだに挟み込まれている。一つ目の時間は〈一〉のしるしのもとにあり、二つ目の時間は分離のしるしのもとにある。半獣神は、純粋な欲望の〈一〉へ忠実でいることができなかったと認める時にこの宣言をしている。

つまり、宣言が命名とは異質であると判明するか、命名が課す系列とは別の主体的系列のなかに宣言が書き込まれるときにはいつも不実なものがあるのだ。これがまさに半獣神の犯罪である。

それは、異質であろうと欲望する（別々に二人のニンフとなまめかしく一つになろうとする）宣言のしるしのもとで、〈二〉を吸収する純粋な欲望として、出来事としての出現にある分離なき潜勢力としての神々に守られた〈一〉をもつものを分離しようとしたことである。犯罪とは、対象とは全く違う形で生じるものを対象としてしまうことなのだ。出来事の主体化する力は対象への欲望ではなく、欲望への欲望なのである。

マラルメは私たちに言う。出来事が常に剥奪してしまう対象のカテゴリーを復元するものなら誰でも、純粋で単純な廃棄に送り返されてしまうと。ニンフたちは、新たな欲望との出会いに合致する代わりに、彼女たちを自分の欲望の対象とすることを望んだ者の腕のなかで溶解してしまう。もはや彼にとって、この喪失の感情以外の何ものも出来事の痕跡として残らないだろう。出来事があるとき、客体化（この「犯罪」）が喪失を招く。これが、出来事への忠実さ、忠実さの倫理が孕む大きな問題である。どのようにすれば対象と客体性を再構成しないで済むのだろうか？

客体化、それは分析であり、記憶の物語的悪業でもある。半獣神は思い出を分析し、客体性のなかに迷い込んでしまったのである。

半獣神、あるいは少なくとも記憶による半獣神、散文的半獣神は、出来事が私たちに対して要求するものになることができなかったのだ。

（9）三番目の誘惑——唯一のそして聖なる名

仕方がない！　幸せへと別の女たちが私を連れて行ってくれるだろう
私の額の角に自らの三つ編みを結びつけて。

知っているだろう、我が情念よ、紫色ですでに熟れた
柘榴の実も破裂し、群れる蜂にざわめく。
そして私たちの血は、これを捉えに行く者に夢中で、
流れる、欲望の永遠の群れすべてのために。
金色と灰色のこの森が染まる時刻、
一つの祭が光の消えた葉叢のなかで熱狂する
エトナよ！　ヴィーナスが、自分の無邪気な踵でおまえの溶岩を踏み歩きながら
訪れるおまえのなかで
炎の尽きる悲しい眠りが轟音を発するとき。
私は女王をつなぎとめている！

おお、逃れえぬ罰……

違う、

あいかわらず不実な半獣神は、まず、出来事の主体になることを諦めるという古典的な立場を採用する。特異なことは何も起きなかったのだ、一を失って十を見出す云々というわけだ。反復のなかでなされる特異性の溶解。それはもちろん、「別の女たち」が「あのニンフたち」の代わりにやって来る可能性があるということが示しているように、命名から免算されるということで

ある。抽象的な欲望の単調さしかもはや残らないような、この反復する他性はあらゆる真理の放棄を隠す伝統的なヴェールである。つまるところ、真理は、そもそも不安な精神による「よかった」のもとでも困難であるのと同じく、強い精神による「仕方がない」という表現のもとでも示されえないのである。

だが、喪失感によって要請され、ごまかされたこの失望のもとで、もう一つの形勢、一つの予言的な形勢が準備される。失われたものの回帰の告知である。これはより興味深い形象である。もはやその消去しか主体化されないところの出来事に関して、我々は、回帰、さらに〈永遠〉〈回帰〉さえも予言することができるのだ。なぜなら欲望の力は、喪失したものとして指標づけされたにもかかわらず、常にそこにあるからだ。名のない欲望、匿名の欲望がもつ自由さは回帰の告知を準備する。というのも、そこでは特異な出会いが起こらず、したがってその原則が回帰しうるのは「欲望の永遠の群れすべて」のためなのだから。

やっかいなのは、これが犯罪を永続化させてしまうことになるのだが、この回帰が必然的に対象の回帰であるということだ。さらにそれは、これから見るように、対象の〈対象〉への転換としての回帰でさえあるのだ。つまり、〈もの〉あるいは〈神〉である。

このセクションは、記憶に結びつける必要のあるわずかな信仰を認めている。それは、記憶が犯罪をその超越的な帰結にまで押し広げることしかしないからである。「仕方がない」という偽りの陽気のもとで、分析的で客体的な態度はまだ残っているのだ。したがって、回帰するのは喪失であり、本質的なところで「あのニンフたち」の喪失なのである。

逆に、我々が忠実でいられるのは性質上反復しないものである。真理は反復不可能なものの要素のなかにあるのだ。対象の、あるいは（これは同じことなのだが）喪失の反復は真なるものの反復不可能な特異性への、失望的な不実さなのだ。

半獣神は前もって、この失望を、絶対的な対象を喚起しながら埋め合わせようとするだろう。もはや女たちではなく、〈女〉であり、もはや〈愛する人たち〉ではなく、愛の女神であり、もはや従う女たちではなく、女王なのである。抽象的な欲望へと連結する群れのイメージのなかに織り込まれたヴィーナスは、現実的なものの存在しない女王蜂のように場へと降りてくる。

　これが三番目の誘惑の場面に向かう入り口である。聖なる唯一の名で命名するという誘惑であり、それによって、太古の決定的な名のために、出会いの特異性という考えを放棄してしまうのだ。

　聖なる名の到来は、念入りに、演劇的に演出されている。我々はここで、光と情景の変更に立ち会っている。詩の黄昏のなかに入り込む。太陽に照らされた池は、火山と溶岩に置き換わる（「金色と灰色のこの森」）。「仕方がない」の論理は、失望の帳《とばり》が落ちる直前の雰囲気を準備する（「炎の尽きる悲しい眠りが轟音を発するとき」）。作り物の超越が出現するための条件を満たしたイメージだ。常に遅れてやって来る神の本質がここにある。神は常に最後の誘惑なのだ。

突然の「逃れえぬ罰」は、半獣神（と詩人）の明快な奮起を無根拠に指し示す。聖なるもの、出来事の命名が犠牲に捧げられる唯一の名、特異なあらゆるニンフの代わりにやって来るヴィーナス、現実全体を破棄する〈対象〉、それらすべての誘惑は非常に深刻な帰結をもたらしてしまうだろう（すなわち、詩を、名状しがたいロマン主義的な予言主義へとひっくり返してしまう）。
こうして誘惑は撤回される。

（10）眠気と影に関する結論的な意味作用

だが言葉の魂は
空っぽで、この身体は重く
正午の誇れる沈黙に今になって倒れる。
冒瀆の忘却のなかに眠るだけでよい、
砂の上に喉を渇かせ横たわり、ああ私は
葡萄酒に効力のある天体に向かって自分の口を開きたい！

二人組よ、さようなら。おまえのなった影を私は見に行く。

女神の黄昏と灰の形象を疑念のなかで撤回することで、半獣神は自分の真理の正午のなかで再生する。彼が眠気のなかで再び一緒になるのはこの宙づりにされている真理である。

音楽家のシミュラークルに伴っていた陶酔からはずいぶん遠ざかってしまったこの眠気、この二つ目の陶酔を、影とそれがなったものの視察に接続することが重要なのだ。二人組の影、それは「あのニンフたち」という名が詩のなかにいつまでも導き出すものなのである。半獣神は私たちに言う。私は、「あのニンフたち」という変わることのない名がそうなるところのものを、名の避難所のなかに見に行くのだと。影とは、その詩的進行の前未来にある〈観念〉なのだ。

影とは、半獣神が永続化しようと志すニンフとの出会いの真理である。疑念とは、それを通して半獣神が相次ぐ誘惑に抵抗できたところのものである。眠気はこの頑固な不動性であり、そこに半獣神はとどまることができるのだ。名から、詩全体としての名の真理へと移ることによって、「半獣神」から、その存在全体がニンフを永続化させたところのものである匿名の「私」へと移ることによって。

眠気は、密度の高い忠実さ、頑固さ、持続である。この最後の忠実さは、生成した主体の行為そのものであり、「空っぽな言葉」によるものである。というのも、もはやこの忠実さは仮説を検証する必要がないからである。そして、それは「重い身体」である。というのも欲望を揺り動かす必要がもはやないからである。

言葉によって作動させられる欲望であるラカン的主体と違って、詩的真理のマラルメ的主体は魂でも身体でもなく、言語でも欲望でもない。それは行為と場であり、眠気のなかにそのメタファーを見つける匿名となった粘り強さなのである。

「私は見に行く」のは、ただ単純に、詩がその全体性のなかで可能になった場である。「私」はこの詩を書きに行く。この眠気によって見るということは、「あのニンフたち、彼女たちを不滅のものにしたい」によって始まるのだ。

「あのニンフたち」と、彼女たちを永続化する「私」とのあいだ、裸の美の出来事的な消滅と、眠気に委ねられた半獣神の匿名性とのあいだに、詩の忠実さがあることだろう。それのみがいつまでも残り続けるのだ。

まとめ

(1) 出来事

詩は出来事の決定不能性を思い起こさせる。これは最も重要なマラルメ的テーマのうちの一つである。状況の内部で、部屋も墓も池も、あるいは海面も、何も出来事を出来事として認識するよう強要することはできない。出来事の偶然性についての問い、それが何に帰属するかという決定不能性についての問いとは、痕跡がどんなに多くても出来事は自らを宣言することに宙づりのままでいるということだ。

出来事は二つの面をもつ。その存在のなかで思考されるとき、出来事は、欲望の匿名的補足、その不確かさ、その流動性である。ニンフの到来を実際に描くことが私たちにはできないのだ。自らの名にしたがって思考されるとき、出来事は忠実さを要請するものである。あのニンフたちはいるだろう、だが、それは、その場を－もった－こと〔avoir-eu-lieu〕の真理であるこの命令へ詩の従属を織り込むことでしかないのだ。

（2）名

名は固定されている。「あのニンフたち」、これは、疑念や誘惑にもかかわらず変わることがない。この不変性は、新しい状況、目覚める半獣神の新しい状況に属する。名は、出来事の現在、唯一の現在である。真理の問いは次のように言われうる。名の現在から何を作り出せばよいのかと。詩は選択肢を使い果たし、名をめぐって真理が創造される、と結論づけるだろう。この真理は、最悪のものや現在の贈与から何も作り出さなくてよいという誘惑も含めて、これらの選択肢すべてを横断することであるだろう。

（3）忠実さ

（a）否定的に、詩は、不実なものに関する完全な理論を素描する。その最も直接的な形式とは、記憶であり、物語的な、あるいは歴史的な不実さである。出来事に忠実であるということはそのことを思い出すということを意味するわけでは決してない。逆に出来事の名を使用するということを常に意味している。しかし、記憶が孕む危険性以外に、詩は三つの誘惑的形象と三つの放棄の仕方を展示する。

——場への同一化、あるいは恍惚という形象。余計な名を放棄することで、この形象は場の永続性のなかで主体を廃棄する。

——シミュラークルを選ぶこと。名が虚構であると認めることにより、この形象はその空虚を、欲望する充実さで満たす。主体はそのときから陶酔した全能でしかなくなるのであり、そこでは充満と空虚が混ざり合っている。

——太古の唯一なる名を選ぶこと。これは出来事の特異性を突き出しこれを圧し潰してしまう。恍惚、充実さそして聖なるものは、出来事としてある出現の内部からその出来事の腐敗と否認を組織すると言えるだろう。

（b）肯定的に、詩は、忠実さという作用素の実存を確立する。それは、ここでは諸々の仮説とそれを襲う疑念の二つ組である。ここから、偶然による行程が構成されるのだ。それは、固定された名のもとに状況全体を探査し、誘惑を体験し、乗り越え、そして主体の前未来においてこの行程は成立したと結論づけるのである。ここで考慮に入れられる行程の型は、「あのニンフたち」という名の虜になっている「私」の確定に関して言えば、愛の欲望と詩的創造に属するものである。

消え去ったものの名に執着する欲望こそが、この欲望が撤回されたあとで、主体が、自らの知らない間に生成させた特異なこの真理によって織り上げられるのかどうかを決めるのである。

訳注

第1章

（1） Jean-Jacques Rousseau, « Lettre à D'Alembert », in *Œuvres Complètes*, t. V, Bernard Gagnebin et Marcel Raymond (éd.), Gallimard, « Bibliothèque de la Pléiade », 1995, p. 16.〔ルソー『演劇について――ダランベールへの手紙』今野一雄訳、岩波文庫、一九七九年、四三頁〕

第2章

（1） プラトン『国家』第十巻五九五B
（2） プラトン『国家』第十巻六〇七B
（3） プラトン『国家』第十巻五九五B
（4） プラトン『国家』第十巻六〇二D

（5） プラトン『国家』第十巻六〇二E

（6） プラトン『プロタゴラス』三二八E—三二九A

（7） Stéphane Mallarmé, « Un coup de dés jamais n'abolira le hasard », in *Œuvres Complètes*, t. I, Bertrand Marchal (éd.), Gallimard, « Bibliothèque de la Pléiade », 1998, p. 372-373, 382.〔マラルメ「賽の一振 断じてそれが 廃棄せしめぬ 偶然」、『マラルメ全集Ⅰ』松室三郎ほか訳、筑摩書房、二〇一〇年、Ⅳ、Ⅸ頁〕なお、マラルメの原文では「唯一の〈数〉」。

（8） Mallarmé, « Prose », *ibid.*, p. 29.〔マラルメ「続誦（プローズ）」、同書、八一頁〕

（9） Mallarmé, « L'Après-midi d'un faune », *ibid.*, p. 23.〔マラルメ「半獣神の午後」、同書、六四頁〕

（10） Mallarmé, « Quand l'ombre menaça de la fatale loi... », *ibid.*, p. 29.〔マラルメ「〔闇が、宿命の法則により……〕」、同書、一〇五頁〕

（11） Arthur Rimbaud, « Matinée d'ivresse », in *Œuvres complètes*, André Guyaux (éd.), Gallimard, « Bibliothèque de la Pléiade », 2009, p. 298.〔ランボー「陶酔の朝」、『ランボー全集』平井啓之ほか訳、青土社、二〇〇六年、二五八頁〕

（12） Rimbaud, « Vagabonds », *ibid.*, p. 303.〔ランボー「さすらう者たち」、同書、二六九頁〕

（13） Mallarmé, « Prose », in *Œuvres Complètes*, t. I, *op. cit.*, p. 28.〔マラルメ「続誦（プローズ）」、『マラルメ全集Ⅰ』、前掲書、七九頁〕

（14） 「[……]真理のすべてとは語られえないものであるということに由来しています。それは、真理を最後まで追いつめないことを、それを半‐語りする〔mi-dire〕ことしかしないことを条件とする以外には、語りえないものなのです」(Jacques Lacan, *Le Séminaire, Livre XX. Encore (1972-1973)*, texte établi par Jacques-Alain Miller, Éditions du Seuil, 1975, p. 85.〔ジャック・ラカン『アンコール セミネールXX巻』藤田博史・片山文保訳、講談社、二〇一九年、一六三頁〕)。

（15） Mallarmé, « Sur l'évolution littéraire [Enquête de Jules Huret] », in *Œuvres Complètes*, t. II, Bertrand Marchal (éd),

Gallimard, « Bibliothèque de la Pléiade », 2003, p. 700.〔マラルメ「文学の進展について——ジュール・ユレのアンケート」、『マラルメ全集Ⅲ』清水徹ほか訳、筑摩書房、一九九八年、四九二頁〕

(16) Mallarmé, « Un coup de dés jamais n'abolira le hasard », in *Œuvres Complètes*, t. I, *op. cit.*, p. 381.〔マラルメ「賽の一振　断じてそれが　廃棄せしめぬ　偶然」、『マラルメ全集Ⅰ』、前掲書、Ⅷ頁〕

(17) Mallarmé, « Le mystère dans les lettres », in *Œuvres Complètes*, t. II, *op. cit.*, p. 232-233.〔マラルメ「文芸の中にある神秘」、『マラルメ全集Ⅱ』松室三郎ほか訳、筑摩書房、一九八九年、二七九頁〕

(18) Mallarmé, « Ses purs ongles très haut dédiant leur onyx, ... », in *Œuvres Complètes*, t. I, *op. cit.*, p. 37 .〔マラルメ「〔その純らかな爪が　高々と　縞瑪瑙をかかげて……〕」、『マラルメ全集Ⅰ』、前掲書、一一〇頁〕

(19) *Ib.*〔同書〕

(20) Rimbaud, « Délires II. Alchimie du verbe », in *Œuvres complètes*, *op. cit.*, p. 263.〔ランボー「錯乱Ⅱ　言葉の錬金術」、『ランボー全集』、前掲書、二一九—二二〇頁〕

(21) *Ibid.*, p. 265.〔同書、二二三頁〕ランボーの原文は「!」で終わっている。

(22) Rimbaud, lettre à Georges Izambard, 13 mai 1871, in *Œuvres complètes*, *op. cit.*, p. 340.〔一八七一年五月一三日付のジョルジュ・イザンバール宛の手紙、同書、四三一—四三二頁〕

(23) Rimbaud, lettre à Paul Demeny, 15 mai 1871, *ibid.*, p. 343.〔一八七一年五月一五日付のポール・ドゥメニー宛の手紙、同書、四三五頁〕

(24) *Ib.*〔同書〕

第3章

(1) Czesław Miłosz（1911-2004）ポーランドの詩人。一九五一年に共産主義体制下のポーランドからパリへ亡命。その後アメリカへ移住。一九八〇年にノーベル文学賞を受賞。

(2) Mallarmé, « Notes sur le langage », in *Œuvres Complètes*, t. I, *op. cit.*, p. 509.〔マラルメ「言語に関するノー

ト」、『マラルメ全集Ⅲ』、前掲書、一七一頁〕

（3） Mallarmé, « Crise de vers », in *Œuvres Complètes*, t. II, *op. cit.*, p. 211.〔マラルメ「詩の危機」、『マラルメ全集Ⅱ』、前掲書、二三七頁〕

（4） *Ib.*〔同書〕

（5） Mallarmé, « Le mystère dans les lettres », *ibid.*, p. 232.〔マラルメ「文芸の中にある神秘」、同書、二七八頁〕

（6） Mallarmé, « L'action restreinte », *ibid.*, p. 217.〔マラルメ「限定された行動」、同書、二五一頁〕

（7） Mallarmé, « Le mystère dans les lettres », *ibid.*, p. 231.〔マラルメ「文芸の中にある神秘」、同書、二七六頁〕

（8） Mallarmé, « L'action restreinte », *ibid.*, p. 217.〔マラルメ「限定された行動」、同書、二五〇頁〕

（9） *Ibid.*, p. 215.〔同書、二四七頁〕

（10） Paul Celan, « UN SENS survient aussi…〔ES KOMMT auch ein Sinn…〕», in *Enclos du temps*, traduit par Martine Broda, Clivages, 1985〔このエディションには頁番号が付されていない〕.〔ツェラン「(ひとつの意味もまた)」『時の屋敷』、『パウル・ツェラン全詩集Ⅲ』中村朝子訳（改訂新版）、青土社、二〇一二年、一八六頁〕

（11） Paul Celan, « J'AI COUPÉ DU BAMBU…〔ICH HABE BAMBUS GESCHNITTEN…〕», in *La rose de personne*, traduit par Martine Broda, J. Corti, 2007, p. 105.〔ツェラン「(ぼくは竹を切った)」『誰でもない者の薔薇』、『パウル・ツェラン全詩集Ⅰ』中村朝子訳（改訂新版）、青土社、二〇一二年、四五五頁〕

（12） Celan, « SUR LES INCONSISTANCES…〔AN DIE HALTLOSIGKEITEN…〕», in *Enclos du temps*, *op. cit.*〔ツェラン「(不安定なものに)」『時の屋敷』、『パウル・ツェラン全詩集Ⅲ』、前掲書、一四九頁〕

（13） Mallarmé, « Étalages », in *Œuvres Complètes*, t. II, *op. cit.*, p. 222.〔マラルメ「陳列」、『マラルメ全集Ⅱ』、前掲書、二六〇頁〕

第4章

（1） José Gil（1939-）ポルトガルの哲学者。一九八八年にペソアを論じた著作 *Fernando Pessoa ou la métaphysique des sensations*〔『ペソアまたは感覚の形而上学』〕をフランスで出版している（ポルトガル語版は一九八七年刊）。

（2） Judith Balso フランスの哲学者。一九九一年にペソアに関する講演を書籍化している（*Pessoa*〔『ペソア』〕）。またフィリップ・ラクー＝ラバルトのもとでペソアを主題とした博士論文を書いており（一九九七年）、おそらくそれを基にした著作が二〇〇六年に出版されている（*Pessoa, le passeur métaphysique*〔『ペソア、形而上学的渡し守』〕）。

（3） Fernando Pessoa, « Le gardeur de troupeaux : XLVI », in *Le Gardeur de troupeaux et les autres poèmes d'Alberto Caeiro avec Poésies d'Alvaro de Campos*, préface et traduction d'Armand Guibert, Poésie/Gallimard, 1987, p. 98. ここでは« Je cherche à appuyer les mots contre l'idée et à n'avoir pas besoin du couloir de la pensée pour conduire à la parole »〔「言葉を観念に寄りかからせようとするが、言葉を導く思考の廊下を必要としているわけではない」〕となっている。

（4） « Toi, mystique, tu vois une signification... », *ibid.*, p. 120.

（5） « Le binôme de Newton est aussi beau... », *ibid.*, p. 238.〔ペソア「（ニュートンの二項式は……）」、『ペソア詩集』澤田直訳編、思潮社、二〇〇八年、八七頁〕

第5章

（1） Mallarmé, « Un coup de dés jamais n'abolira le hasard », in *Œuvres Complètes*, t. I, *op. cit.*, p. 384-385.〔マラルメ「賽の一振　断じてそれが　廃棄せしめぬ　偶然」、『マラルメ全集I』、前掲書、X頁〕なお、バディウによる引用文の前半に« où »〔そこでは〕という単語があるが、これは間違いで実際は« ou »〔あるいは〕である。訂正した上で訳した。

（2） Labid ben Rabi'a（560-661）前イスラム期のアラビアの詩人。ムアッラカはアラビア語で書かれた長詩のこと。

（3）　Labîd b. Rabi'a, « Le désert et son code », in *Du désert d'Arabie aux jardins d'Espagne*, chefs-d'œuvre de la poésie arabe classique traduits et commentés par André Miquel, Sindbad, 1992, p. 21.

（4）　*Ib*.

（5）　*Ibid*., p. 22.

（6）　*Ibid*., p. 26. バディウの引用では複数形となっている「選択〔Des choix〕」は、引用元では単数形「選択〔Du choix〕」である。

（7）　Mallarmé, « Un coup de dés jamais n'abolira le hasard », in *Œuvres Complètes*, t. I, *op. cit*., p. 372-373.〔マラルメ「賽の一振　断じてそれが　廃棄せしめぬ　偶然」、『マラルメ全集Ｉ』、前掲書、Ⅳ頁〕

（8）　Labîd b. Rabi'a, *op. cit*., p. 26.

（9）　*Ibid*., p. 21.

（10）　*Ib*.

（11）　*Ibid*., p. 22.

（12）　Mallarmé, « Un coup de dés jamais n'abolira le hasard », in *Œuvres Complètes*, t. I, *op. cit*., p. 385.〔マラルメ「賽の一振　断じてそれが　廃棄せしめぬ　偶然」、『マラルメ全集Ｉ』、前掲書、Ⅹ頁〕

（13）　*Ibid*., p. 373.〔同書、Ⅳ頁〕

（14）　Labîd b. Rabi'a, *op. cit*., p. 22.

（15）　Mallarmé, « Un coup de dés jamais n'abolira le hasard », in *Œuvres Complètes*, t. I, *op. cit*., p. 386-387.〔マラルメ「賽の一振　断じてそれが　廃棄せしめぬ　偶然」、『マラルメ全集Ｉ』、前掲書、Ⅺ頁〕

（16）　Labîd b. Rabi'a, *op. cit*., p. 26.

（17）　*Ib*.

（18）　*Ibid*., p. 23. バディウの引用は「一本の木のした、」のあと一行飛ばしている。引用元では引用箇所の前から文が始まっており、「一本の木のした。」と句点が打たれる。そのあとに « Sans trêve l'eau ruisselle au long de son échine, / Le soir… » と続く。訳すと「その〔雌ラクダ〕の背中に沿ってとめどなく水が流れる、／夜隠された…」である。

(19) Mallarmé, « Un coup de dés jamais n'abolira le hasard », in *Œuvres Complètes*, t. I, *op. cit.*, p. 370-371.〔マラルメ「賽の一振　断じてそれが　廃棄せしめぬ　偶然」、『マラルメ全集Ⅰ』、前掲書、Ⅲ頁〕

第6章

(1) Friedrich Nietzsche, *Ainsi parlait Zarathoustra*, traduction par Geneviève Bianquis, GF-Flammarion, 1996, p. 244.〔『ニーチェ全集10　ツァラトゥストラ下』吉沢伝三郎訳、ちくま学芸文庫、一九九三年、九一頁〕

(2) *Ib.*〔同書、九二頁〕

(3) *Ibid.*, p. 65.〔『ニーチェ全集9　ツァラトゥストラ上』吉沢伝三郎訳、ちくま学芸文庫、一九九三年、五〇頁〕

(4) *Ibid.*, p. 150.〔同書、一八八頁〕

(5) *Ibid.*, p. 279.〔『ニーチェ全集10　ツァラトゥストラ下』、前掲書、一五五頁〕

(6) Friedrich Nietzsche, *Le cas de Wagner*, in *Œuvres philosophiques complètes*, t. VIII, G. Colli et M. Montinari (éd.), traduits de l'allemand par Jean-Claude Hémery, Gallimard, 1974, p. 44.〔ニーチェ『ヴァーグナーの場合』、『ニーチェ全集14　偶像の黄昏 反キリスト者』原佑訳、ちくま学芸文庫、一九九四年、三二六頁〕

(7) 引用された文言をそのままニーチェの著作のなかに見つけることはできなかった。ただし、ニーチェ『偶像の黄昏』のなかにこの文言のようにまとめられるようなことが書かれている。Cf. Nietzsche, *Crépuscule des Idoles*, in *Œuvres philosophiques complètes*, *op. cit.*, p. 106.〔ニーチェ『偶像の黄昏』、『ニーチェ全集14　偶像の黄昏 反キリスト者』、同書、八四頁〕

(8) Paul Valéry, « L'âme et la danse », in *Œuvres*, t. II, Jean Hytier (éd.), Gallimard, « Bibliothèque de la Pléiade », 1960, p. 158.〔ポール・ヴァレリー「魂と舞踏」、『エウパリノス・魂と舞踏 樹についての対話』清水徹訳、岩

波文庫、二〇〇八年、一五〇頁〕
（9） Mallarmé, « Le genre ou des modernes », in *Œuvres Complètes*, t. II, *op. cit.*, p. 182.〔マラルメ「風俗劇、あるいは近代作家たち」、『マラルメ全集II』、前掲書、一八六頁〕
（10） Mallarmé, « Autre étude de danse. Les fonds dans le ballet d'après une indication récente », *ibid.*, p. 175.〔マラルメ「もうひとつの舞踏論　バレエにおける背景　最近の実例に基づいて」、同書、一七四頁〕
（11） Mallarmé, « Ballets », *ibid.*, p. 171.〔マラルメ「バレエ」、同書、一六六頁〕
（12） *Ibid.*, p. 172.〔同書、一六八―一六九頁〕
（13） *Ibid.*, p. 171.〔同書、一六六頁〕
（14） *Ib.*〔同書〕
（15） *Ib.*〔同書〕
（16） *Ibid.*, p. 174.〔同書、一七一頁〕
（17） *Ib.*〔同書〕マラルメの原文では、「生〔vie〕」ではなく、「ヴィジョン〔vision〕」である。
（18） *Ibid.*, p. 173.〔同書、一七〇頁〕
（19） Nietzsche, *Le cas de Wagner*, *op. cit.*, p. 33.〔ニーチェ『ヴァーグナーの場合』、『ニーチェ全集14　偶像の黄昏 反キリスト者』、前掲書、三〇八頁〕
（20） Mallarmé, « Le genre ou des modernes », in *Œuvres Complètes*, t. II, *op. cit.*, p. 179.〔マラルメ「風俗劇、あるいは近代作家たち」、『マラルメ全集II』、前掲書、一八一頁〕

第7章

（1） Antoine Vitez（1930-1990）フランスの俳優、演出家。コメディー・フランセーズ総監督を務めた。
（2） Michel Guy（1927-1990）フランスの文化人、政治家。ジスカール・デスタン政権下の一九七四―一九七六年に文化閣外大臣を務めた。なお、ヴィテーズがシャイヨー国立劇場の監督に任命されたのは一九八一年である。

第９章

（1）Samuel Beckett, *Cap au pire*, traduit de l'anglais par Edith Fournier, Les Éditions de Minuit, 1991, p. 7.〔サミュエル・ベケット『いざ最悪の方へ』長島確訳、書肆山田、一九九九年、一一頁〕今回ベケットのテクストの訳に関しては、英語の原文がもつリズムが尊重された長島訳をなるべくそのまま使用し、表記や文脈の観点から必要と思われるものだけを変更した。なお英語の原典は Samuel Beckett, *Worstward Ho*, in *Nohow On*, John Calder, 1989 を参照した。

（2）Beckett, *Cap au pire*, *op. cit.*, p. 62.〔ベケット『いざ最悪の方へ』、前掲書、八〇頁〕

（3）英語の原文では "void" と "dim"。

（4）Beckett, *op. cit.*, p. 22.〔ベケット、前掲書、二九―三〇頁〕

（5）*Ibid.*, p. 45.〔同書、五八頁〕

（6）*Ib.*〔同書〕

（7）*Ibid.*, p. 19.〔同書、二六頁〕

（8）*Ibid.*, p. 24.〔同書、三二頁〕

（9）*Ibid.*, p. 7.〔同書、一二頁〕

（10）*Ibid.*, p. 38.〔同書、四九頁〕

（11）バディウの原文では « terme » となっているが、« germe » の誤植と考え、「胚種」と訳す。

（12）*Ibid.*, p. 7.〔同書、一一頁〕

（13）*Ibid.*, p. 8-9.〔同書、一三頁〕

（14）*Ibid.*, p. 49.〔同書、六三頁〕

（15）*Ibid.*, p. 41.〔同書、五二―五三頁〕

（16） *Ibid.*, p. 26-27.〔同書、三四―三五頁〕バディウの引用では、「帽子をかぶった頭が消え去り。」の後の箇所で « Plus large portion du dos disparue. »（「それ以上の背中が消え去り。」）が抜けている。

（17） *Ibid.*, p. 28-29.〔同書、三七―三八頁〕

（18） *Ibid.*, p. 34-35.〔同書、四四―四五頁〕

（19） *Ibid.*, p. 25-26.〔同書、三三―三四頁〕

（20） *Ibid.*, p. 43.〔同書、五五―五六頁〕

（21） *Ibid.*, p. 42-43.〔同書、五五頁〕

（22） *Ibid.*, p. 54.〔同書、六九頁〕

（23） *Ibid.*, p. 20.〔同書、二七頁〕

（24） *Ibid.*, p. 55-56.〔同書、七一―七二頁〕

（25） *Ibid.*, p. 56.〔同書、七二―七三頁〕

（26） *Ibid.*, p. 22.〔同書、二九―三〇頁〕バディウの引用では、「二人は消え去ることがある。」の後の箇所で « Disparition de la pénombre se peut »（「薄暗さは消え去ることがある」）が抜けている。

（27） バディウの原文は « *l'on* va dire agenouillé… »。この « on » はテクストの言表の非人称性を意味していると思われる。

（28） *Ibid.*, p. 23.〔同書、三一頁〕バディウの原文ではこのあと二六ページと表記されているが、二三ページの間違い。本文上の表記も訂正する。

（29） *Ibid.*, p. 15.〔同書、二一頁〕

（30） *Ibid.*, p. 13.〔同書、一八―一九頁〕

（31） *Ibid.*, p. 14-15.〔同書、二一頁〕

（32） *Ibid.*, p. 16.〔同書、二二―二三頁〕

（33） *Ibid.*, p. 32.〔同書、四一―四二頁〕バディウの引用では、「すべて？」の後の箇所で « Non. »（「いや。」）

が抜けている。

(34) *Ibid.*, p. 47-48.〔同書、六〇―六一頁〕

(35) *Ibid.*, p. 9-10.〔同書、一四―一五頁〕

(36) *Ibid.*, p. 37-38.〔同書、四八―四九頁〕

(37) *Ibid.*, p. 53.〔同書、六八―六九頁〕

(38) *Ibid.*, p. 61.〔同書、七八頁〕

(39) *Ibid.*, p. 62.〔同書、七九―八〇頁〕

(40) Mallarmé, « Un coup de dés jamais n'abolira le hasard », in *Œuvres Complètes*, t. I, *op. cit.*, p. 386-387.〔マラルメ「賽の一振　断じてそれが　廃棄せしめぬ　偶然」、『マラルメ全集I』、前掲書、XI頁〕

(41) Beckett, *op. cit.*, p. 60-61.〔ベケット、前掲書、七七頁〕

第10章

(1) Mallarmé, « Le faune, intermède héroïque [1865]. Monologue d'un faune », in *Œuvres complètes*, t. I, *op. cit.*, p. 153.〔マラルメ「半獣神、古代英雄詩風幕間劇〔一八六五年作〕半獣神独白」、『マラルメ全集I　別冊解題・註解』、筑摩書房、二〇一〇年、一一四頁〕

(2) Mallarmé, « Improvisation d'un faune [1875] », *ibid.*, p. 160.〔マラルメ「半獣神即興〔一八七五年版〕」、同書、一三六頁〕

(3) Mallarmé, « L'après-midi d'un faune. Églogve. Édition de 1876 », *ibid.*, p. 163.〔マラルメ「半獣神の午後　田園詩」、『マラルメ全集I』、前掲書、六二頁〕

(4) *Ibid.*, p. 166.〔同書、七〇頁〕

(5) *Ibid.*, p. 164.〔同書、六五頁〕バディウの引用ではポワン〔.〕が打たれているが、原文ではポワン・ヴィルギュル〔;〕。

（6）　本訳書では、マラルメの詩でイタリック体になっているところは、教科書体にして訳している。

（7）　*Ibid.*, p. 163.〔同書、六二―六三頁〕「半獣神」自体短いテクストであり、引用はテクストの流れに沿ってなされているため、これ以降の「半獣神」の引用には逐一出典を注記しない。引用と原典のあいだにわずかな誤植が見受けられる場合もあるがこれも煩雑になるため注記しないでおく。

訳者あとがき

本書は、Alain Badiou, *Petit manuel d'inesthétique*, Seuil, 1998 の全訳である。原題をそのまま訳せば「非美学への小手引き」となるが、このままだと少々ぎこちなく、意味も分かりにくいので邦題は「思考する芸術——非美学への手引き」とさせていただいた。アラン・バディウ自身についていて、あるいは彼の思想の概要についていては、これまでに刊行された訳書のあとがき等で紹介されているのでそちらを参照していただきたい（例えば、バディウの主著の一つとも言うべき大著『存在と出来事』［一九八八］の訳書が満を持して二〇一九年末に上梓されたが、その訳者解説ではバディウの思想が分かりやすく紹介されている）。

さて、本書は、バディウがそれまでに書いた文章を〈非美学〉というコンセプトのもとに一冊にまとめたものである。これらの文章の初出は、原著に「付録」として載せられているものによれば次のようになる。

- 「芸術と哲学」、クリスチャン・デカン編『芸術家と哲学者——教育者?』、ポンピドゥーセンター、一九九四年。
- 「名づけられないものの段階にある哲学と詩」、『Po&sie』六四号、一九九三年。
- 「思考のメタファーとしてのダンス」、チロ・ブルーニ編『ダンスと思考』、GERMS、一九九三年。
- 「演劇に関する十のテーゼ」、『*Les Cahiers de la Comédie-Française*』、一九九五年。
- 「偽の運動としての映画」、『*L'Art du cinéma*』四号、一九九四年。
- 「映画作品について語ることができるのか?」、『*L'Art du cinéma*』六号、一九九四年。

本書に収められたもののうち五つの文章の初出がこれで分かるが、残り半分はその時点で未発表のものか本書のために書き下ろされたものだろうか。どちらにしても、一九九〇年代に執筆された芸術についての文章をまとめたのが本書ということになろう。

ここでより注目したいのは、これらの文章では一度も使われていない〈非美学 inesthétique〉という造語が本書のタイトルに付されているということである。この語に関しては、本書の前書きでわずかに説明されているばかりだが、それによると〈非美学〉とは、「いくつかの芸術作品の自立した実存によって生み出される厳密に哲学内的な諸効果」を記述するものであるという。〈非美学〉という言葉から、本書は十八世紀の西洋で誕生した〈美学〉を再検討する批判書なのだろうと思いきや、そうではなく、哲学者による新たな形の芸術論の試みのようなのである。

では、もしそうであるなら、我々はこの試みをどのように捉えることができるだろうか。前書きの最後に付された（あるいは本書が刊行された）「一九九八年」という年に注目しつつ、ここでは三つの点を軸にして考えてみよう。

1 「世紀」

「世紀」と挙げたが、これはバディウが二〇〇五年に出した著書『世紀』から来ている。これは一九九八年から二〇〇〇年までなされた講義をまとめたものであるが、その始まりの年が一九九八年であることに注意しよう。「世紀」、つまり二十世紀を総括するために行われた一連の講義は、本書が刊行された年に始められたものなのである。バディウの扱う「世紀」は、厳密に言えば、第一次世界大戦が勃発した一九一四年から、ソ連解体と冷戦終結の年である一九八九年までの七五年間を指すのだが、バディウは一八九〇年から一九一四年までの約二十年を「世紀」の「序幕」として捉え、ここに彼が偏愛する詩人マラルメを登場させることを忘れない。「序幕」

に「現代のエクリチュール」の試みとして位置するのが一八九七年に発表されたマラルメによる「賽の一振り」なのである。

本書はこのように、『世紀』へとつながる二十世紀論であり、マラルメから始まる二十世紀芸術を対象とする。とりわけ「芸術と哲学」に関する考察に捧げられた第一章ではこのことが明示的に述べられている。二十世紀における芸術と哲学の結びつきを、マルクス主義、精神分析、ハイデガーの解釈学という三つのシェーマでもって総括するバディウは、そこから新たなシェーマを導き出そうとする。それが、真理の手続きとしての芸術とそれを把握する哲学というシェーマである。ここでようやくバディウの言う〈非美学〉の内実が徐々に明らかになってくる。すなわち、ある出来事に先導された、作品という有限の形式のなかで展開される芸術的布置という真理を哲学が捉えること。バディウはこの新たなシェーマのもと、芸術作品を哲学的に見定めていくことになる。

この作業によって辿られる筋道の一つに、バディウが「世紀」を扱う際に述べる「二」の思考があるだろう。「現実的なもの」の虜になった「世紀」が、非弁証法的な「二」として呈示されるならば、それは、ペソアの「思考‐詩」、ツェランの「非整合性」、ダンスにおける身振りと非身振りのあいだの等価性、ベケットの作品中に現れる老人と子供の「二」、そしてマラルメの半獣神が引き離すニンフの「二」でもあるのだ。二十世紀が「二」の世紀であるならば、この「世紀」の芸術にもまた「二」という布置が認められるのである。

2 哲学と詩

芸術それ自体が思考するというバディウの提言は、詩に対してももちろん適用される。というよりも、思考する詩というバディウの詩に対する哲学的把捉は、本書以前に遡る。すなわち、『哲学宣言』（一九八九）ではっきりと表明された「詩人たちの時代」である。バディウによれば、ヘルダーリンとツェランのあいだに一つの時代があり、そこにマラルメ、ランボー、トラークル、ペソア、マンデリシュタームが位置づけられる。彼らの詩は非客体化の操作であり、客体性と主体性という二項の関係性を基礎づける知の次元から逃れるものとしてある。このように認識論的枠組みから真理を解き放つ詩は、存在論的思考を自ら担うことになるのだ。これはもちろん、詩にこの可能性を見たハイデガーに由来するものだが、だからこそバディウは、このドイツの哲学者による思索と詩作の縫合に終止符を打つために「詩人たちの時代」の「終わり」を唱える。つまり、詩に委ねられていた思考は哲学に戻されるべきなのだ。

この「詩人たちの時代」の「終わり」は大きな反響を呼ぶことになる。国際哲学コレージュのセミナーで改めて「詩人たちの時代」という題目で発表を行ったバディウに対して、ラクー＝ラバルトは、この詩に思考を委ねるという事態においては、詩そのものよりも神話が問題となっているのではないかと、ハイデガーの身振りに対する扱いを問い直している（Philippe Lacoue-

Labarthe, « Poésie, philosophie, politique », in *La politique des poètes. Pourquoi des poètes en temps de détresse*, sous la direction de Jacques Rancière, Albin Michel, 1992)。あるいは、ドミニック・ジャニコーやクリスチャン・ドゥメは、バディウにおける詩に対する哲学的清算に戸惑いを覚えざるをえない（Dominique Janicaud, « De l'âge des poètes à celui des philosophes ? », in *Poésie & Philosophie. Rencontre de Marseille 10, 11, 12 octobre 1997*, cipM, 2000 ; Christian Doumet, « La fin de l'"âge des poètes". Remarques sur un philosophème », in *Littérature*, n° 156, 2009)。

本書の第二章は、もちろんこのバディウによる提言「詩人たちの時代」を引き継いでいる。だが興味深いことに、初出が一九九三年であるこの文章にはその前年まで表立って表明されてきたこの「詩人たちの時代」という言葉が一度しか出てこない。ここで重点が置かれているのは、「詩人たちの時代」の「終わり」よりもむしろ、ハイデガーが対立させる詩と数式素の関係を問い直すことではないだろうか。ハイデガーが、真理と知の対立を、詩と数式素の対立として捉えているなら、バディウは逆に詩と数式素による思考の分有を主張する。ここには些細に見えながらも決定的な転回が見受けられるように思われる。「詩人たちの時代」の「終わり」を唱える哲学宣言から、詩の思考を改めて捉えようとする〈非美学〉へと向かうバディウのこのささやかな転回は、詩と哲学の新たな関係を呈示しようとするものではないだろうか。

3　マラルメ

本書が出版された年に注意するなら、この著作全体が一つのマラルメ論なのではないかと考えさせられる。というのも、この年、一九九八年はマラルメ没後百周年にあたり、プレイヤード叢書の新版『マラルメ全集』全二巻のうちの第一巻が出版されたり、マラルメに関する多くの研究書やシンポジウムの記録が刊行されたりと、まさにマラルメ研究を画する年だからである。マラルメ研究のこの波にバディウ自身も乗ろうとしたのかどうかは分からないが、実際、本書の至るところにマラルメが登場し、最終章がマラルメ論であることからも、本書がマラルメ没後百周年に対するバディウなりの貢献であると考えることもあながち的外れではあるまい。

本書の最後を飾る「半獣神の哲学」は、これまでのバディウによるマラルメ論のなかでは最も長大なものであるし、マラルメの長詩『半獣神の午後』を最初から最後まで細やかに読んでいることからも、バディウ渾身のマラルメ論であると言えるだろう。この詩篇は、半獣神の「私」が、ニンフとの邂逅という出来事が過去に実際にあったのかどうかを探ろうとする作品である。ただし、バディウによれば、出来事は記憶からも証拠からも明かされることはない。出来事は客体化されることから常に逃れてしまう。バディウはこの出来事の決定不能性、すなわち客体化から逃れる〈非美学〉的な様相を強調する（**inesthétique** の否定の接頭辞 **in** はまさにこの非客体性のことではないか）。したがって、この詩の本質とは、出来事が実際に生じたのかどうかを証明することではなく、詩のなかに固定された「ニンフ」という「名」から出発して遡及的に出来事を探査しようとする詩の行為そのものということになる。この決定不能な出来事に対してあくまで忠実であること、つまり過去に生じたかもしれない出来事を命名すること、このことにバディウは詩の実存を見て取るのである。

　このバディウが捉える「半獣神の哲学」がマラルメ論として妥当かどうかはここでは問わない。ただ、バディウからマラルメをある意味哲学的に引き継いでいるカンタン・メイヤスーがこのバディウ化された（？）マラルメに疑義を呈していることに少し触れておこう。メイヤスーは、バディウがその著作『諸世界の論理』（二〇〇六）において、マラルメの『賽の一振り』にあるよく知られた詩句「何も場以外に場をもたなかった、高いところに、おそらく、〈星座〉をのぞいて」のなかの「高いところに」と「おそらく」をあえて抹消しようとしているところにバディウとマラルメの乖離があると指摘する（Quentin Meillassoux, « Badiou et Mallarmé : l'événement et le peut-être », in *Autour d'Alain Badiou*, textes réunis par Isabelle Vodoz et Fabien Tarby, Germania, 2011）。確かにバディウは、生じたかもしれないという出来事の決定不能性を唱える。だが、メイヤスーによれば、これはマラルメの「おそらく」を捉えきれていない。このメイヤスーの議論を「半獣神の哲学」に引き寄せて考えるなら、メイヤスーが問題視するのは、「おそらく」という偶然性が排除された、詩のなかの「ニンフ」という「名」の固定性ということになるだろう。言い換えるなら、バディウにとって、忠実であるべき「名」の固定性、あるいは詩という事実に偶然性の入る余地はないのである。これに対して、メイヤスーの主張にしたがえば、「ニンフ」の「名」を差し出してくる詩そのものが「おそらく」という不確かさに晒されているということになる。つまり、出来事を探査するための固定点としてあったはずの詩それ自体が不確かなのである（なお、メイヤスーが言うには、マラルメにおける詩そのものの不確かさは、定型詩と自由詩のあいだで揺れる詩の韻律の「数」において現れる）。

メイヤスーのこの見解が妥当であるかどうかをここで細かく検討することはできない。だが少なくとも、忠実であるべき対象として、そして出来事の探査の出発点として詩を固定するバディウに対するこのメイヤスーの指摘は的確なものと言えるだろう。真理の創造の出発点に偶然性を介入させようとするメイヤスーの議論はバディウにとってどう映るのだろうか。

以上、三つの観点から本書の立ち位置を測ってみたが、これらはあくまで道しるべに過ぎない。このまま続けるとしても、あるいは全く違った道を選択するとしても、ここから先は読者の方々自身に歩んで行ってもらいたい。本書は、新たな世紀の五分の一をすでに終えたこの時代にも十分耐えうる強度をもっているはずである。あるいは、芸術と哲学という「創設的な」関係を問う本書に下手な時代区分を付すことにそもそも意味はないのかもしれない（第五章で近代のフランス詩人と前イスラム期のアラビア詩人が「比較」されているように）。

本書の翻訳にあたっては、次の二つの既訳を参考にさせていただいた。

・アラン・バディウ「思考のメタファーとしてのダンス」守中高明訳、『批評空間』II—22、一九九九年。
・Alain Badiou, *Handbook of inaesthetics*, translated by Alberto Toscano, Stanford University Press, 2005.

本書の刊行は、訳者の不甲斐なさのせいで延びに延びてしまった。水声社をはじめ関係者の方々にお詫び申し上げたい。そして、それにもかかわらず辛抱強く待ってくださり、さらにきめ細やかな編集・校正作業をしてくださった水声社の井戸亮さんに心からの感謝の意をここに表したいと思う。

坂口周輔

著者・訳者について——

アラン・バディウ（Alain Badiou）　一九三七年、モロッコのラバトに生まれる。哲学者、作家。主な著書に、『存在と出来事』（邦訳、藤原書店、二〇一九年）、『世界の論理』（*Logique des mondes. L'être et l'événement, 2*, Seuil, 2006）、『コミュニズムの仮説』（二〇一三年）、『議論して何になるのか』（共著、二〇一八年）、『推移的存在論』（二〇一八年、いずれも邦訳は水声社）などがある。

＊

坂口周輔（さかぐちしゅうすけ）　法政大学兼任講師。専攻、フランス文学。主な著書に、『マラルメの現在』（共著、水声社、二〇一三年）、主な訳書に、ユベール・ダミッシュ『カドミウム・イエローの窓』（共訳、水声社、二〇一九年）などがある。

装幀——Gaspard Lenski

思考する芸術——非美学への手引き

二〇二一年六月三〇日第一版第一刷印刷　二〇二一年七月一〇日第一版第一刷発行

著者——アラン・バディウ
訳者——坂口周輔

発行者——鈴木宏
発行所——株式会社水声社
東京都文京区小石川二—七—五　郵便番号一一二—〇〇〇二
電話〇三—三八一八—六〇四〇　FAX〇三—三八一八—二四三七
［**編集部**］横浜市港北区新吉田東一—七七—一七　郵便番号二二三—〇〇五八
電話〇四五—七一七—五三五六　FAX〇四五—七一七—五三五七
郵便振替〇〇一八〇—四—六五四一〇〇
URL : http://www.suiseisha.net

印刷・製本——モリモト印刷

ISBN978-4-8010-0578-5

アラン・バディウの本

［価格税別］

推移的存在論　近藤和敬・松井久訳　三〇〇〇円

ベケット　西村和泉訳　二〇〇〇円

コミュニズムの仮説　市川崇訳　三〇〇〇円

サルコジとは誰か　榊原達哉訳　二二〇〇円

愛の世紀（ニコラ・トゥリオングとの共著）　市川崇訳　二二〇〇円

議論して何になるのか（アラン・フィンケルクロートとの共著）　的場寿光・杉浦順子訳　二八〇〇円

バディウによるバディウ　近藤和敬訳　（近刊）

＊

共産主義の理念（共著、コスタス・ドゥズィーナス／スラヴォイ・ジジェク編）　長原豊監訳　四五〇〇円